MALBAIE

** La possédée de Saint-Irénée

*Contes, légendes et récits
de la région de Charlevoix,* 2009

Malbaie – * Le chemin de fer dans la lune, 2011

Serge Gauthier

MALBAIE
** La possédée
de Saint-Irénée

ÉDITIONS TROIS-PISTOLES

Éditions Trois-Pistoles
31, route Nationale Est
Paroisse Notre-Dame-des-Neiges
G0L 4K0
Téléphone: 418 851-8888
Télécopieur: 418 851-8888
C. élect.: vlb2000@bellnet.ca

Saisie: Serge Gauthier
Conception graphique et mise en pages : Roger Des Roches
Révision: Victor-Lévy Beaulieu et André Morin
Couverture: Olivier Lasser

Les Éditions Trois-Pistoles bénéficient des programmes d'aide
à la publication du Conseil des Arts du Canada, du ministère
du Patrimoine (PADIÉ), de la Société de développement des
entreprises culturelles du Québec (SODEC) et du programme
de crédit d'impôt pour l'édition de livres du gouvernement du
Québec (gestion Sodec).

EN EUROPE (COMPTOIR DE VENTES)
Librairie du Québec
30, rue Gay-Lussac
75005 Paris, France
Téléphone: 43 54 49 02
Télécopieur: 43 54 39 15

ISBN 978-2-89583-264-5
Dépôt légal:
Bibliothèque et Archives nationales du Québec, 2012
Bibliothèque et Archives Canada, 2012

Et qu'on ne me fasse point taire
Et que je chante pour combien
Dans ce monde où les muselières
Ne sont pas faites pour les chiens

LÉO FERRÉ
Thank you Satan

1

À Montréal, le fleuve Saint-Laurent n'est pas bien large. D'ailleurs, il n'y a vraiment rien ici qui puisse se comparer à Saint-Irénée de Charlevoix. Clara Gauthier a tout le temps voulu pour le constater. Elle a repris des forces grâce aux bons soins des Sœurs qui se sont occupées d'elle. Elle a même commencé à travailler à l'hôpital afin d'aider les religieuses, accomplissant de petites tâches, un peu de ménage ici et là, rien qui demande trop d'efforts.

Elle tousse moins, mais il lui arrive encore de cracher, de s'arracher les entrailles. Elle essaie par tous les moyens de se faire discrète sur son état, de cacher ses souffrances mais elle n'y parvient pas toujours. Son désir de retourner à Saint-Irénée se bute au refus des religieuses qui lui conseillent plutôt d'aller en cure dans les montagnes au nord de Montréal, dans un sanatorium, afin de se débarrasser complètement de cette tuberculose qui lui colle au corps.

Maudite consomption! C'est à cause de cette maison de malheur de Saint-Irénée. Les microbes sont dedans, la misère n'en sort pas. Même reconstruite par son frère Euclide, la maison porte toujours la trace du mal. Il faudrait tout brûler, tout recommencer, se dit parfois Clara, repartir à neuf, rompre tous les liens avec le passé, voir plus loin que la trace du fleuve et des ancêtres.

Chez les Gauthier, rien ne change vraiment. Et rien n'évolue davantage à Saint-Irénée. Ce n'est pas comme à Montréal où tout bouge, mais comme Clara ne sort à peu près jamais de l'hôpital, elle ne sait pas vraiment ce qui se passe dans la grande ville. Pour Clara, le temps ne fait que s'écouler lentement, tranquillement. Deux ans déjà qu'elle est à Montréal, presque totalement enfermée. Sauf pour quelques marches avec des religieuses, tout près de l'hôpital, d'où l'on peut voir le fleuve au loin, mais il est si étroit que Clara le reconnaît à peine. Ici, le fleuve n'est pas son allié. Il la retient, ne s'ouvre pas sur le large.

Elle tousse encore. Et puis ce feu, en elle qui, comment dire, paraît éteint ou presque. Elle ne le ressent plus, ce feu ardent et bienfaisant. Il ne l'agite plus, ne la fait plus tressaillir comme avant. Elle ne sent plus rien entre ses jambes, ne sent plus l'homme, ne sent plus le feu. Et elle a peur. Le fleuve ne peut rien pour elle. Les religieuses encore moins. Ici, pas de Sœurs bleues comme il y en avait autrefois à Saint-Irénée. Elles sont aujourd'hui affectées à un autre hôpital, dans une autre ville. Là où elle se trouve, Clara ne connaît personne, elle n'est qu'une pensionnaire égarée, abandonnée, laissée au bon vouloir de la charité publique. Comme une sorte de déchet. Elle ne sent plus sa flamme. Elle ne croit même plus qu'elle a un avenir.

Elle ne reçoit pas beaucoup de nouvelles de Saint-Irénée. Le Père Ti-Boise ne lui écrit pas souvent et quand il le fait, il ne dit pas grand-chose. Clara se sent oubliée même par sa propre famille. Elle aussi aimerait oublier ces gens, ce village, cette damnation. Mais elle ne le peut pas, car peut-être s'y cache encore l'Italien, s'y cache encore le feu. Clara est certaine qu'Angelo est retourné à Saint-Irénée pour la retrouver. Mais comment en être vraiment certaine ? Le Père Ti-Boise n'en dit rien dans ses lettres. Elle ne pense pas qu'Angelo soit encore à Montréal, sinon il serait venu la chercher. C'est certain, l'Italien aurait retrouvé sa trace. Mais il n'est pas venu.

Le printemps de 1921 n'annonce rien de bon. Clara n'est pourtant pas morte et tant qu'elle vivra, elle continuera de chercher l'Italien, d'espérer son retour, de croire à nouveau en ce bel amour si tendre, si fou, cet amour à elle, à lui. Pourvu qu'il soit vivant, pourvu qu'elle reste vivante, rien ne pourra la retenir et elle retrouvera son Angelo.

Elle tousse plus fort. Une religieuse l'entend et lui demande de s'étendre quelques instants, de ne plus s'énerver, de ne plus rêvasser. Clara fait la moue. Elle ne va certainement pas se mettre à prier. Elle laisse le bon Dieu aux religieuses si elles s'en contentent, Clara lui préférant l'Italien, son Angelo, son Dieu à elle.

Pauvre Clara, se dit le Père Ti-Boise. Il réalise qu'il ne peut rien pour elle. Il n'entreprendra pas le voyage jusqu'à Montréal, c'est trop loin et il est si fatigué. Il a surtout peur de la retrouver mourante ou presque. Desséchée. Encore en proie à ses démons, surtout toujours agitée par ce démon d'Italien.

Celui-là, il est revenu par ici, pas précisément du côté de Saint-Irénée, mais plutôt à La Malbaie, dans le secteur de la route de Sable. Il se tient avec Raoul Girard, un vrai bandit. Les deux ne font que multiplier les mauvais coups. Les policiers de La Malbaie les arrêtent quelquefois, puis ils sont vite relâchés. La justice de par ici n'est pas la plus sévère qui soit, pense le Père Ti-Boise. Il faudrait pourtant les enfermer pour un bon bout de temps à la prison de La Malbaie, ces deux vauriens. Mais encore là, ils y seraient trop bien. Le geôlier Henri Chaperon est trop avenant et son épouse fait de trop bons repas pour les prisonniers, c'est bien connu. C'est à Québec qu'il faudrait les enfermer, ces gibiers de potence. C'est l'échafaud qu'ils méritent, rien de moins !

Même en bon chrétien qu'il est, le Père Ti-Boise ne priera jamais pour de tels chenapans. Pas de repos possible pour ces âmes damnées. Dans ses rares lettres à Clara, le Père Ti-Boise prend bien garde de faire mention de la présence de l'Italien par ici. Clara ne doit pas savoir. Personne ne doit lui dire. Sinon, elle reviendra. Sinon, elle connaîtra à nouveau le péché. Elle est si malade, se dit le Père Ti-Boise. C'est de repos dont elle a le plus besoin et les religieuses sont là pour prendre soin d'elle. C'est ce qu'il y a de mieux pour sa Clara.

Le Père Ti-Boise a refusé l'entrée de sa maison à l'Italien. Il l'a traité de démon. Lui a intimé l'ordre de ne pas franchir le seuil de sa porte. L'étranger est reparti et n'est pas revenu depuis. S'il revient, le Père Ti-Boise, qui n'a jamais eu recours à la violence, pourrait bien être tenté de se servir de la vieille carabine de son défunt père remisée dans la cuisine d'été. Et il tirerait sur l'Italien. Le tuerait s'il le faut. Non, il ne faut surtout pas que Clara soit informée de la présence de l'Italien. Non, il ne faut surtout pas que Clara le revoit. Et elle ne le reverra plus, plus jamais, foi de Père Ti-Boise, le bon Dieu du ciel ne le permettra pas, surtout pas !

⎯

Sous d'autres plans, le Père Ti-Boise n'a pas trop à se plaindre. Son fils Euclide semble heureux et paraît même filer le parfait amour avec son épouse Blanche qui, bien qu'encore rétive au premier abord, s'est quelque peu adoucie. Depuis que le petit Fernand, né infirme, est mort l'hiver dernier, les deux époux paraissent plus unis. L'épreuve les a en quelque sorte rapprochés, à tel point qu'Euclide se montre même plus attentionné envers Blanche.

Certaines nuits, le Père Ti-Boise les entend respirer fort mais il se défend d'écouter : ce qui se fait dans les liens sacrés du mariage est permis par les curés, par le bon Dieu, même. Il s'attend tout de même à ce que Blanche soit bientôt enceinte. Pourtant, elle n'est pas encore grosse. Elle n'est pas facile à «partir en famille», se dit le Père Ti-Boise.

Le petit Nicolas, né du premier mariage d'Euclide, a bien grandi déjà, mais il est clair que Blanche ne parviendra jamais à l'accepter, encore moins à l'aimer. Elle le frappe pour des riens avec ses grandes mains sèches et ça cogne dur. Le petit pleure souvent et le Père Ti-Boise prend sur lui de le consoler du mieux qu'il peut. Même s'il s'évertue à répéter à Blanche de lui faire plus attention, que c'est un orphelin quand même et qu'elle est un peu devenue sa mère, Blanche ne bronche pas. Parle d'autres choses. Elle n'aimera jamais Nicolas et Euclide, de son côté, s'en désintéresse tout autant, trop absorbé par son travail de menuisier, la construction de nouvelles maisons battant son plein au village. Et comme c'est davantage payant, Euclide délaisse aussi le travail sur la terre.

Le plus souvent, c'est le Père Ti-Boise qui reste seul à entretenir le vieux lot familial. Heureusement, Blanche est une bonne jardinière et elle est travaillante. Sauf qu'il lui faudrait quand même de l'aide. Il a donc écrit à son fils Philippe, toujours pas marié et qui reste à Coaticook, afin qu'il revienne sur la terre familiale. Philippe ne lui a pas répondu.

Quant à Arthur, un autre de ses fils, le Père Ti-Boise ne sait même pas où il se trouve. Difficile de lui écrire. Il ne doit quand même pas être mort, se dit le Père Ti-Boise, on le lui aurait fait savoir. Arthur est peut-être une âme errante, qui sait ? Peut-être va-t-il mourir en exil ? Ou revenir un jour à Saint-Irénée ? Qui pourrait le prédire ? Sûrement pas le Père Ti-Boise qui préfère penser à autre chose tout en se berçant dans sa chaise avec le petit Nicolas qui vient de s'endormir dans ses bras. Il serait temps d'aller le coucher. Décidément, ce petit ressemble beaucoup à sa mère et c'est sans doute pourquoi Blanche le déteste autant.

2

Certains pensaient que le diable s'éloigne-
rait de la paroisse de Saint-Irénée maintenant que l'abbé Joseph Perron n'en est
plus le curé. Il n'en est rien. Le village est aujour-
d'hui agité par des rumeurs bien plus terribles que
tout ce qu'on avait entendu auparavant. À n'en
pas douter, le diable paraît avoir élu domicile dans
une sombre maison du village, celle un peu sinistre
des sœurs Marilda et Clarilda Tremblay, vieilles
filles sévères vivant retirées. Sauf pour aller à la
messe du matin, les deux vieilles ne sortent jamais. Elles gardent depuis peu en adoption la fille
de leur frère Joseph qui ne savait qu'en faire puisqu'il en a une douzaine d'autres à la maison. La
petite est belle mais ne dit pas grand-chose et plus
inquiétant que tout, ses yeux noirs paraissent s'agi-
ter comme des tisons. La petite n'aime pas ses
tantes, elle déteste Dieu et pas question pour elle
d'aller à la messe et encore moins de marcher au
catéchisme.

Les vieilles filles voulant absolument l'amener à l'église, elles avaient consulté le nouveau curé. Rien n'y fit, la petite était restée entêtée, mauvaise. Les demoiselles qu'on surnommait « les Tourtes » au village, du nom d'une sorte de pigeon très présent autrefois mais aujourd'hui disparu, n'y pouvaient rien.

C'est précisément à cette époque que des manifestations bizarres se produisirent à la maison des Tourtes. Et que les gens de Saint-Irénée connurent des temps difficiles à cause de la petite Gabrielle Tremblay dont on commençait à redouter l'étrange comportement. Dès lors, les gens des alentours commencèrent à parler d'elle sous le seul nom de la « possédée de Saint-Irénée ».

⁓

Le secrétaire de l'Évêque de Chicoutimi lui avait bien dit que Saint-Irénée ne serait pas une paroisse facile, surtout que l'abbé Léon Gravel n'avait encore jamais occupé la fonction de curé. Simple vicaire dans une paroisse du Lac-Saint-Jean, il ne connaissait rien des vieilles localités de Charlevoix. Il ne savait pas qu'ici, le passé semble plus important que le présent ou même l'avenir.

Il ne pouvait non plus saisir cette étrangeté d'une population refermée sur elle-même et si peu ouverte sur le reste de l'univers.

Le peu qu'il en savait, c'est que la construction du chemin de fer avait causé son lot de désagréments sur le plan moral à Saint-Irénée. Il connaissait aussi la réputation sulfureuse de son prédécesseur, l'abbé Joseph Perron. Mais comment pouvait-il imaginer le pire, cette histoire de possession démoniaque, l'existence même de cette pauvre jeune fille qui paraissait se vouer aux œuvres du démon ? Il n'avait jamais rien entendu de tel et puis, s'il avait su qu'une telle chose pouvait exister, l'abbé Gravel ne serait probablement jamais devenu prêtre, se sachant d'ailleurs peu doué pour le ministère paroissial. Déjà qu'au Grand Séminaire, il avait éprouvé bien des difficultés à étudier la théologie.

Fils d'un cultivateur de Roberval, il avait fait des études grâce à la charité du curé de sa paroisse qui le considérait comme une vocation. À ce moment-là, l'abbé Gravel ne voyait rien de tel en lui. Et ne le ressentait toujours pas. Croyait-il en Dieu ? Pas tant que cela, au fond, mais il ne fallait rien laisser paraître. Voilà qu'il commençait maintenant à croire au diable, ce qui ne le rassurait aucunement. Il ne jouissait pas d'un grand charisme, n'avait pas de talents d'orateur et ses connaissances théologiques demeuraient somme toute plutôt pauvres. Que pouvait-il donc faire dans cette paroisse presque survoltée?

L'abbé Gravel n'était pas très sociable et plutôt gêné. Il avait dit tout cela au secrétaire de l'Évêque qui n'avait rien voulu entendre et qui clamait haut et fort que Saint-Irénée, après tous les soubresauts causés par l'intransigeance du curé Perron, avait besoin d'un curé plus modeste, plus tranquille. L'abbé Gravel correspondait parfaitement à ce profil. Et puis ce n'était pas à lui de décider, il devait simplement obéir. Il avait donc obéi, se retrouvant tout fin seul dans ce grand presbytère faisant face au fleuve, dans cette paroisse inquiétante, avec tellement d'incertitudes et de craintes autour de lui qu'il ne savait que faire. Sinon prier. Mais, pour sûr, sa prière était vaine et le Seigneur du ciel se désintéressait sans doute de Saint-Irénée et peut-être plus encore de son nouveau curé abandonné à lui-même.

~

«Méfiez-vous de l'eau qui dort», dit le vieux dicton, et Thérèse pense que s'y trouve finalement bien plus de sens qu'elle ne le croyait auparavant. Eudore paraît comme assoupi ou sonné par son triste séjour en prison. Il ne fait rien ou presque tout le jour durant, sinon s'occuper du petit Démétrius. De son côté, Thérèse a beaucoup de travail à titre de photographe de tous les événements officiels de la paroisse et elle a pu se créer une importante clientèle. Elle reçoit à son petit studio des habitants des autres paroisses aussi et même des villégiateurs, en été. Tous reconnaissent son talent et puis son équipement est moderne, semblable à celui des photographes de Montréal ou de Québec.

La famille Forget ne vient pourtant jamais se faire photographier par Thérèse et ne l'invite pas plus au Domaine Gil'Mont qui semble bien triste depuis la mort du millionnaire. Tout le monde regrette monsieur Forget, à Saint-Irénée. Et ce n'est pas son gendre, le libéral Pierre Casgrain, qui le remplace vraiment. Il vient tout juste y faire une tournée en période électorale et puis repart. Son épouse, qui se prénomme Thérèse elle-aussi, « la fille de Forget » comme on dit par ici, affiche alors ses tenues vestimentaires de grand luxe. Elle s'intéresse à des sujets bien loin des préoccupations des femmes de Saint-Irénée qui ne votent pas en grand nombre aux élections fédérales. À tout coup, le couple retourne à Montréal ou à Ottawa sans s'attarder. Et on les oublie vite.

Ce n'est vraiment plus comme au temps de Rodolphe Forget et Thérèse le regrette sincèrement. Heureusement, ses affaires vont bien. En fait, tout irait bien pour Thérèse, sinon que Clara est malade à Montréal et qu'elle s'ennuie d'elle, sinon que l'amour semble écarté définitivement de sa vie avec la mort de Démétrius et la sortie de prison d'Eudore. Mais tout ça ne l'inquiète pas autant que le danger qu'elle pressent, que cette idée qui lui trotte sans cesse dans la tête à mesure que le petit Démétrius grandit : si Eudore revenait à ses mauvais penchants ? A-t-il vraiment changé ? Thérèse ne le croit pas. Elle est convaincue qu'Eudore ne changera jamais. S'il s'en prenait au petit, cherchait à lui faire un mauvais parti ? Thérèse a peur. Et pour cette raison, elle surveille Eudore sans relâche.

Cette idée et ce risque ne lui quittent jamais l'esprit, mais elle ne peut tout de même pas suivre Eudore à la trace. Et il est si gentil avec le petit, si protecteur, il ne fait rien d'autre de ses journées que de jouer avec lui, répondre à ses besoins, se promener à l'extérieur de la maison avec lui. Thérèse ne sait plus où donner de la tête. Si au moins Clara était là auprès d'elle, mais qui sait si elle survivra, la pauvre Clara. Si elle ne meurt pas, elle aura toujours sa place auprès de Thérèse. Clara, elle, saurait comment s'opposer à la méchanceté d'Eudore. Thérèse, elle, ne le sait pas. Elle craint pour l'enfant. S'il fallait… s'il fallait… Elle pense bien qu'elle en mourrait.

Un coup de fusil retentit dans la forêt sauvage de l'arrière-pays de Charlevoix, tout près de la rivière Malbaie où se pratique la drave des billots de bois à chaque printemps. Raoul a bien visé et le chevreuil s'écroule. Angelo lui crie bravo en ajoutant quelques mots en italien que Raoul ne comprend pas.

Ils font équipe depuis près de deux ans déjà. Et cela aura été à l'origine de bien des ravages dans la région : batailles, vols à répétition, braconnage. Présentement, ils chassent le chevreuil en-dehors de la saison permise et ils vendent la viande aux aubergistes de La Malbaie qui en nourrissent leur clientèle. L'affaire étant très rentable, les deux compères font la virée des hôtels de la région où ils dépensent tout cet argent mal gagné. Quant à l'Auberge de la Grande Catherine, il faut l'oublier, la dame ayant quitté définitivement la région. Désormais l'épouse d'un homme d'affaires, elle a fermé son hôtel et en dirige un autre dans le quartier Saint-Roch à Québec. Il paraît qu'il y a de fort jolies filles à cet hôtel et pas farouches du tout ! Angelo et Raoul se promettent de s'y rendre un de ces jours.

Pour l'instant, ils habitent ensemble dans une petite maison du secteur de la route de Sable, non loin de La Malbaie. Des filles, il en vient plein, à leur très modeste résidence, ce qui fait que Raoul et Angelo font la belle vie ! L'Italien se défend de trop penser à Clara. Quelquefois, il regrette de ne pas être allé la chercher à Montréal, où il sait très bien qu'elle se trouve, mais qu'en ferait-il ? Il n'est plus qu'un petit criminel, rien de plus, et il en a honte. Ce n'est certainement pas le genre de vie qu'il voulait pour sa « bella Clara ». Et comme elle est gravement malade, comment pourrait-il en prendre soin ? Ce n'est pas possible. Angelo camoufle cet échec amoureux tout au fond de son cœur. La vie n'est jamais facile pour un immigrant, dans ce pays.

Malgré tout, Angelo a appris à aimer cette terre de Charlevoix avec ses rudes montagnes, avec son beau fleuve. Il ne veut plus partir d'ici. Et puis lui et Raoul ne sont pas embêtés par les policiers, à La Malbaie. Raoul a pris entente avec un avocat de la place, Raymond Morin, membre du Parti libéral qui rêve de devenir député fédéral à la place de Pierre Casgrain et qui se proclame le protecteur des aubergistes de La Malbaie et de l'industrie touristique locale, ce qui lui rapporte beaucoup d'argent, ainsi qu'à Raoul, en lui permettant en toute impunité de fournir les établissements hôteliers du secteur en gibier et en poissons qu'importe la saison. Raymond Morin, habile plaideur, assure que toutes les poursuites contre

Raoul tomberont lorsqu'elles seront plaidées au Palais de justice de La Malbaie.

L'avocat Morin a toutefois été clair : il ne peut pas protéger l'Italien du fait que c'est un étranger. Seulement Raoul. L'Italien n'a d'autre choix que de se faire discret à tout prix. Et si un jour l'Italien se faisait prendre, Raoul laisserait aller les choses.

Raoul n'a pas d'ami et veut simplement profiter de la vie. Avec le temps, il est devenu amer, sombre et tellement violent que les gens de la région ont appris à le craindre. Il n'a qu'un seul rêve, Raoul, et ce projet devient oppressant. De plus en plus. Il veut tuer Eudore Boutin. Il n'aura de cesse que lorsque le gros Eudore sera éliminé par ses propres mains. Mort. Et cela se fera bientôt. Foi de Raoul, cela ne tardera pas. Ne prendra pas goût de tinette.

3

Joseph-Aimé Tremblay n'a rien d'un homme cultivé. Il n'est jamais allé à l'école de sa vie. Pas même une journée. Il a toujours travaillé sur le bien familial dans le rang Saint-Louis, situé non loin du village de Saint-Irénée. Il a hérité d'un lot misérable à la mort de son père : que des roches, rien que des roches ! Rien à en tirer, à peine des pommes de terre et tout juste ! Il a néanmoins épousé une demoiselle Gagnon du rang voisin et douze enfants sont nés de cette union sans histoire et tout aussi triste que toute la vie de Joseph-Aimé Tremblay.

Les enfants n'ont jamais rien vu de beau, n'ont jamais rien eu. Ils mangent à peine à leur faim. Joseph-Aimée Tremblay sacre à cœur de jours contre le bon Dieu. Donne des coups de pied au cul à ses chiens et à chacun de ses douze enfants. Les chiens ne ripostent pas et les enfants non plus. Personne ne se plaint. Ils sont tous habitués à subir, à baisser la tête. Mais pas la petite Gabrielle. Alors non.

Joseph-Aimé Tremblay n'a jamais pu l'emporter sur cette furie. À chaque fois qu'il a voulu la battre, elle l'a mordu, égratigné jusqu'au sang. Ses ongles sont si longs… ils ne semblent pas à elle, ils semblent appartenir à une force occulte. Lorsque le temps de faire son catéchisme arriva, Joseph-Aimé Tremblay décida d'envoyer Gabrielle vivre chez ses deux vieilles sœurs résidantes du village de Saint-Irénée. Celles-ci acceptèrent, mais comme elles le regrettent depuis. La petite n'a jamais voulu « marcher au catéchisme ». Et ce n'est pas le nouveau curé, bien trop faible de caractère, qui a su la faire plier. Gabrielle lui a tiré les cheveux, lui a giflé le visage. Le curé saignait de la joue droite. Et elle a prononcé des paroles honteuses, tout droit sorties de l'enfer :

– Ne me touche pas, sale curé, tu détruis tout, ton Dieu détruit tout !

Des paroles qui ne pouvaient provenir d'elle mais de quelqu'un d'autre. Ou de quelque chose d'autre. Tous s'entendent à dire que c'est là l'œuvre de Satan. Sauf le curé Gravel qui ne se prononce pas, ne dit rien, préférant consulter un expert de la question au Diocèse de Chicoutimi. D'ici là, Joseph-Aimé Tremblay ne veut plus voir sa fille à la maison. Même si ses sœurs apeurées le supplient de la reprendre, il ne veut rien entendre.

Il y a maintenant plusieurs mois que Gabrielle demeure chez ses tantes. Les vieilles prient, espèrent et… tremblent. Rien ne change. Toutes sortes de phénomènes étonnants se produisent. La nuit, les vieilles filles entendent même des bruits de chaînes. Il faut faire quelque chose. Mais qui donc y peut quelque chose ?

Au magasin général d'Ernest le Lièvre, tout le monde ne parle que de Gabrielle Tremblay. Certains ont franchement peur, les femmes surtout. D'autres, des jeunesses pour la plupart, se moquent de ces racontars. Les plus vieux tentent de raisonner tout le monde en racontant que tout cela a déjà été vu autrefois et que le diable a toujours agi par ici comme ailleurs. Cependant, personne ne paraît vraiment rassuré et tous conviennent que de tels phénomènes n'ont rien de bon pour le village. Et voilà que même les plus sages s'inquiètent ou commencent à se troubler.

D'aucuns disent que les livres de beurre se promènent dans la maison, que les chaises se bercent toutes seules, que des vitres se fracassent. On plaint les pauvres vieilles aux prises avec une telle terreur. L'on blâme surtout le père de Gabrielle, un gros homme de deux cents livres, pas capable de venir à bout de sa fille et qui la laisse à la charge de deux pauvres vieilles incapables de réagir. Il faut que Gabrielle quitte le village sans tarder et s'en retourne dans son rang natal. Mais son père ne veut plus rien savoir d'elle. Faut-il en parler aux autorités judiciaires? Au curé? Il ne fait rien, ce pauvre curé Gravel. Sinon une recherche théologique sur la question auprès d'un mandataire du Diocèse. Ce n'est pas assez.

Ernest le Lièvre, un gros homme pas peureux, ne craint pas la petite qui est d'ailleurs une parente à lui. Les demoiselles Clarilda et Marilda Tremblay et le père de Gabrielle sont en effet ses cousins. Il se tient prêt à intervenir si cela lui était demandé mais les deux vieilles ne sollicitent pas encore son aide, ne lui font aucun signe. On verra donc plus tard. Vaut mieux attendre. Mais en attendant, la population du village est sur le qui-vive et l'on pense que des choses encore plus terribles pourraient sans doute se produire tôt ou tard.

～

Saint-Irénée, en ce 17 juillet 1922
Monsieur l'abbé Léon Marcel
Diocèse de Chicoutimi

Monsieur l'abbé,
Je ne suis que le pauvre curé d'une paroisse emportée par une terrible tourmente. Depuis peu,

des événements incroyables se déroulent dans notre petit village. Une jeune fille d'environ 15 ans y sème la peur en provoquant des phénomènes inexpliqués. La petite Gabrielle demeure avec ses deux tantes célibataires, deux demoiselles soucieuses de religion et à qui on ne peut rien reprocher sur le plan moral. La jeune fille n'aime pas ses tantes. Elle refuse de prier, de venir à la messe, de marcher au catéchisme. Elle provoque un scandale permanent dans la paroisse.

Cela ne serait encore rien, si cette pauvre enfant ne semblait pas se venger contre tous les habitants de la paroisse en suscitant la peur. Le bruit de sa malveillance ne fut d'abord que limité à la maison des deux demoiselles où elle réside. Il s'y serait produit des déplacements d'objets et des phénomènes auditifs inquiétants. Mais progressivement, la petite a posé des actes violents : meubles brisés, personnes égratignées par de mystérieuses griffes, explosion de lampes à l'huile. L'affaire a fini par faire grand bruit. Des gens de la paroisse sont venus prêter main-forte aux demoiselles mais tous et toutes se sont jurés de ne plus jamais retourner dans cette maison après une courte visite. Certains veulent encore intervenir, parmi eux des jeunes et des hommes forts. Je ne sais comment retenir leurs projets violents et je crains qu'ils puissent s'en prendre violemment à la petite. La peur, vous le savez sûrement, peut susciter bien des égarements et je ne sais que faire face à ce risque dont il est bien difficile de mesurer l'importance réelle.

La petite est-elle dotée de pouvoirs diaboliques ? Je ne le crois pas. Les phénomènes qu'elle provoque ont sans doute une explication. Personnellement, je ne saurais tenter d'expliquer ni de comprendre tout cela. Je compte donc sur votre expérience de théologien avisé et, m'a-t-on dit, sur votre capacité à détecter les « œuvres du malin ». Si vous pouviez donner un retour rapide à ma missive, je vous en serais grandement reconnaissant. Peut-être pourriez-vous séjourner quelques jours dans notre paroisse et ainsi rencontrer la petite ? Les portes de mon modeste presbytère vous sont ouvertes si vous acceptez de séjourner dans notre pauvre paroisse si misérable en ces jours troublés.

En vous priant, Monsieur l'abbé, de bien vouloir vous pencher sur ma demande urgente dans le contexte si dramatique que nous vivons présentement dans la paroisse de Saint-Irénée,

L'abbé Léon Gravel
Curé de Saint-Irénée

À la maison du rang de Terre-Bonne, Euclide et Blanche parlent souvent de Gabrielle Tremblay. Euclide dit que rien de cela ne le surprend et que Joseph-Aimé Tremblay n'a jamais su élever ses enfants comme du monde. Blanche, curieusement, penche plutôt en faveur de la petite. Elle croit que les filles ou les femmes de par ici sont trop souvent mal jugées et qu'on ne leur accorde pas assez de liberté. Blanche a déjà senti cette révolte en elle mais n'a jamais pu l'exprimer comme elle l'aurait voulu. Si elle pouvait parler à la petite, elle lui dirait de ne pas s'en laisser imposer, sauf qu'elle ne sort jamais de cette maudite maison. Le Père Ti-Boise la trouve tout de même audacieuse de penser ainsi :

— Tu tentes le diable, ma pauvre fille, il ne faut jamais faire cela !

Euclide ne peut s'empêcher de se moquer de la réplique de son père, disant au Père Ti-Boise qu'il a lui-même engendré une possédée en mettant au monde Clara et qu'il devrait savoir quoi faire avec les filles agitées par le démon. Le Père Ti-Boise frémit et fait son signe de la croix :

— Ne va jamais comparer ta sœur avec une possédée, doux Jésus !

— Vous le savez bien, le Père, que Clara a toujours été possédée et qu'elle l'est encore ! Elle est possédée par son diable d'Italien...

Blanche intervient :

– Laisse ta sœur tranquille, elle est malade, elle est peut-être morte. Toi, la seule femme que tu as aimée, c'est ta maudite Marie-Anne…

– Toi, tu ne vas pas maudire Marie-Anne devant moi, espèce de folle, toi aussi tu es possédée par le mal, crie très fort Euclide en voulant frapper Blanche avec sa main.

Le Père Ti-Boise n'a que le temps de s'interposer :

– Euclide, laisse ta femme tranquille, vous vous entendez si bien depuis un certain temps, ne laisse pas le diable entrer dans ton ménage…

– Le diable, pauvre vieil idiot, il n'existe pas, vous m'entendez, c'est vous pis votre religion qui l'inventez…

Euclide quitte la maison. Blanche ne bronche pas :

– Jamais il ne m'aimera, vous entendez, Père Ti-Boise ! Il n'a que cette femme-là dans la tête et elle n'en sortira jamais.

Blanche se retire dans sa chambre pour pleurer. Le Père Ti-Boise prend dans ses bras le petit Nicolas qui a été témoin de la scène et qui semble en avoir été affecté. Euclide, lui, reviendra tard dans la nuit, quelque peu éméché. Le Père Ti-Boise ne dort pas bien, cette nuit-là. Il craint que Blanche et Euclide ne forment jamais un couple uni et cette pensée l'accable. Surtout que Blanche ne peut rien lui cacher. Le Père Ti-Boise a bien vu qu'elle était enceinte, ce qui l'inquiète d'autant plus, même s'il se force à croire que cet enfant finira peut-être par unir ces deux êtres qui paraissent encore si peu compatibles.

Au magasin d'Ernest le Lièvre, plusieurs expriment le souhait qu'une action soit prise par des hommes de la paroisse contre la petite Gabrielle Tremblay. Certains proposent d'y aller en groupe et de lui faire peur. De l'affronter, s'il le faut. Les femmes présentes frémissent à cette idée. Elles ne parlent pas trop fort de leurs inquiétudes. Le curé de la paroisse désapprouve tout geste rapide et attend une lettre du Diocèse à ce sujet. Aucune missive diocésaine ne lui est pourtant parvenue à ce jour. Les vieux de la paroisse finissent par se convaincre qu'il vaut mieux ne rien faire pour le moment.

Ce n'est pas l'avis des plus jeunes réunis dans la salle arrière du magasin général, une bière à la main. Antonio, le fils d'Ernest le Lièvre, n'est pas très chaud à l'idée de se rendre à la maison des Tourtes tandis que Ligori Tremblay, bedeau de la paroisse et qui en a vu d'autres, pense plutôt qu'un groupe de jeunes devrait aller régler sans tarder le cas de cette jeune fille possédée. Tout simplement la prendre, la mettre dans une calèche et la ramener chez son père dans le rang Saint-Louis. La proposition semble convenir au plus grand nombre. Sans n'en parler à personne d'autre, un groupe de cinq jeunesses décide donc de se rendre durant la soirée chez les Tourtes pour enfin débarrasser le village de cette engeance démoniaque. Personne n'hésite plus et, l'alcool aidant, certains paraissent déjà s'enhardir un peu trop. À l'appel de Ligori Tremblay, ils se dirigent vers la maison des Tourtes.

La maison des Tourtes paraît sombre et grise. Même qu'à première vue, le bâtiment n'a vraiment rien d'attirant. Les sœurs Clarilda et Marilda ont hérité de cette vieille maison d'un curé retraité qui la leur a léguée à sa mort parce que celles-ci l'avaient longtemps servi à titre de ménagères. En effet, dès l'âge de quatorze ans, les deux sœurs, qui sont jumelles, ont été accueillies par ce vieux prêtre déjà très âgé, l'abbé Fafard. Elles l'ont servi sans relâche durant dix ans et, à son décès, le prêtre, sans famille, leur a donné sa maison par testament et aussi un peu d'argent. Il y a de cela cinquante ans et les sœurs n'ont jamais bougé de la maison depuis ce temps.

Elles y vivent paisibles, pieuses et discrètes, faisant un petit jardin en été, ne parlant à personne ou presque, surtout pas aux hommes. Elles ne manquent pas d'argent car l'héritage s'élevait à 8 000 $, une somme considérable placée à la Banque de la paroisse. Les sœurs dépensent peu, s'habillent toujours des mêmes robes noires pour aller à la messe, mangent tout au plus quelques légumes de leur jardin récoltés durant la belle saison. Plus souvent qu'autrement, de la bonne soupe aux légumes ou aux gourganes. Pas de viande ou presque. La prière occupe tout le reste de leur vie. On les voit parfois, par beau temps, sur la galerie de leur maison et leurs lèvres remuent sans cesse des « *Je vous salue Marie...* ». Elles ont toujours un chapelet à la main.

Comme on ne les dérange que rarement, elles furent plutôt surprises de revoir leur frère Joseph-Aimé, l'automne dernier. Ne l'ayant pas revu depuis nombre d'années, elles l'ont difficilement reconnu sur le coup. En fait, Clarilda et Marilda n'ont jamais beaucoup aimé ce frère qu'elles avaient oublié depuis longtemps et elles lui auraient presque dit de quitter les lieux n'eût été de la petite. Les deux vieilles la trouvèrent belle et attachante. Joseph-Aimé leur dit qu'il fallait qu'elle se rende marcher au catéchisme et qu'elle serait mieux de résider proche de l'église plutôt que de retourner tous les soirs dans le rang Saint-Louis. Les sœurs trouvèrent que c'était là une bonne raison d'accueillir la petite. Pour un temps seulement, toutefois. Clarilda et Marilda ne cessent pas, depuis, de se repentir de cette décision malheureuse. Dès le premier soir, elles entendirent des bruits dans la chambre prêtée à Gabrielle où le petit lit semblait remuer. Elles demandèrent à l'enfant si elle entendait quelque chose et la petite répondit dans l'affirmative :

– Si vous entendiez ce que j'entends, vous trembleriez de peur, chères tantes.

Les sœurs ne prêtèrent pas trop attention à la chose au départ, pensant que Gabrielle aurait à vivre une certaine adaptation dans sa nouvelle résidence. Mais rien ne cessa. La petite refusant de prier avec ses tantes, elles la laissèrent d'abord faire, mais Gabrielle s'en prit alors à elles, leur arrachant plusieurs fois le chapelet des mains. Puis, les sœurs eurent l'impression que le chapelet leur glissait automatiquement d'entre les doigts dès qu'elles tentaient d'en prendre un.

Gabrielle refusait de manger. Souvent, le sucrier paraissait bouger. Et trembler. La nuit, le vacarme reprenait dans la chambre. Les vieilles ne dormaient plus jamais paisiblement. Au repas, la nappe semblait se dérober sous les plats et la vaisselle volait souvent en éclats. La vie devenait intenable et les deux sœurs firent savoir à leur frère qu'elles ne voulaient plus garder la petite et que, d'ailleurs, le curé Gravel n'était jamais parvenu à l'amener à l'église pour le catéchisme, Gabrielle se mettant alors dans tous ses états tout en proférant les pires blasphèmes :

– Laissez-moi, avec votre religion sale, avec votre Évangile menteur ! Je veux vivre sans vous ! Je vous rejette !

Les vieilles prirent peur et toute la paroisse aussi. Un soir, les demoiselles étaient parvenues à enfermer Gabrielle dans la cave. Ce fut là une erreur. Le bruit fut à ce point infernal dans la cave que tout le voisinage en fut alerté. On entendait des chaînes, des hurlements. Gabrielle finit par sortir de la cave, le cadenas pourtant solide et bien en place ayant cédé devant sa rage et sa force. Les sœurs avaient pris le parti de ne plus réagir, par peur, surtout que leur frère leur avait fait savoir qu'il ne viendrait pas chercher la petite et que lui aussi, il en avait peur. Elles n'espéraient plus d'aide, sinon que Gabrielle quitte un jour la maison par elle-même. La prière devenait le seul recours de Clarilda et Marilda, mais même le Seigneur ne les entendait pas. Le manège infernal de la petite se poursuivait sans relâche, tant la nuit que le jour. Pour conjurer le mauvais sort, les deux sœurs se réfugiaient de plus en plus souvent à l'église et avaient même demandé à des voisins de les héberger. Sans succès. Tout le monde avait peur. Tout le monde semblait les avoir abandonnées à la furie diabolique de leur nièce Gabrielle.

Gabrielle Tremblay en a toujours eu assez de la misère. Depuis sa naissance, ce n'est que la misère qu'elle a connue. Onzième d'une famille de douze, son père ne semble bon qu'à faire des enfants. Pour le reste, il ne fait rien. Il ne récolte que des maudites patates sur sa terre de roches. Rien d'autres. Trop paresseux pour tenter de sortir de sa misère. Il ne boit même pas. Ne réagit jamais. S'écrase dans sa maudite chaise berçante. Rien de rien. Sa famille meurt de faim en hiver. Lui aussi doit avoir faim mais il ne fait rien quand même. Une âme en peine.

Pour Gabrielle, c'était là une chance, que d'aller résider au village chez de vieilles tantes même si elle ne les connaissait aucunement. Simplement quitter le rang Saint-Louis était déjà réjouissant. Toutefois, elle ne ressentit aucune sympathie pour ces curieuses demoiselles, bigotes empesées, mangeuses de balustre. Elle choisit donc de leur faire peur. Elle savait quoi faire. Depuis son enfance, Gabrielle n'avait jamais cessé de serrer les dents, de se montrer forte, agressive. Ses sœurs et même ses frères ne l'approchaient jamais : elle leur avait trop souvent fait peur. Avec ses dents, elle sait mordre. Avec ses ongles longs, elle peut griffer. Et fort. Alors, faire trembler de peur deux vieilles folles, cela n'est rien pour Gabrielle.

Elle ne pensait toutefois pas que tant de gens finiraient par avoir peur d'elle. Un village, ce n'est pas comme un rang isolé. Ici, tout le monde surveille ce que fait le voisin. Tant pis s'ils ont peur, se dit Gabrielle qui souhaite simplement quitter ce village de misère au plus vite. Elle sait qu'un jour, elle partira. En leur faisant peur, ils seront forcés de la laisser partir. Elle pourra enfin cesser de ronger son frein, elle pourra être libre. Quand cela arrivera-t-il ? Elle n'en sait rien mais elle peut encore attendre. Elle ne croit pas au diable, mais puisque les autres y croient, elle peut bien continuer à jouer le jeu, à être diabolique. Elle sait comment faire et ils sont si crédules et ignorants, les gens d'ici.

4

Ligori Tremblay est devenu le bedeau de la paroisse de Saint-Irénée après qu'Eudore eût été emprisonné. Comme il ne pouvait être question qu'Eudore reprenne un jour cet emploi, Ligori occupe maintenant ce poste à temps plein. Il est travaillant, habile de ses mains et le curé Gravel ne lui trouve que des qualités. Toutefois, dans le fond de son âme, Ligori Tremblay n'est pas apaisé. Il aime encore prendre de la boisson forte, sortir avec ses amis et faire la fête. Il ne songe aucunement à se marier pour le moment. Ce soir, avec ses quatre autres comparses, il compte bien ramener la petite Gabrielle Tremblay chez elle dans le rang Saint-Louis dont elle n'aurait jamais dû sortir. Il frappe à la porte de la maison des Tourtes. Pas de réponse. Il frappe encore plus fort. Tout paraît noir à l'intérieur. Ligori prend sa voix la plus forte :

– Ouvrez donc la porte, les demoiselles des Tourtes...

Antonio Tremblay qui l'accompagne voit bien que Ligori est dans un état d'ébriété avancé. Si au début, à l'arrière du magasin général, le groupe s'était contenté de quelques bières, depuis qu'ils étaient à l'extérieur, les cinq amis n'avaient pas hésité à se « rincer le gosier » de gros gin. Antonio, pour sa part, ne boit jamais de boissons fortes. Seulement de la bière.

— Tu ne dois pas les insulter, quand même, Ligori...

— C'est des vieilles folles ! Ouvrez, maudites tourtes !

Clarilda se présente à la porte. Elle est hésitante, mais voyant que c'est Ligori, le bedeau de la paroisse, elle accepte de les laisser entrer en précisant toutefois que d'habitude, elle ne laisse pas entrer d'hommes dans la maison. D'un autre point de vue, Clarilda comprend que le groupe est bien décidé à faire peur à Gabrielle, ce qui ne lui déplaît pas. Marilda a elle aussi compris le manège et elle dit sans hésiter :

— Gabrielle est dans sa chambre. Elle dort peut-être mais on ne sait jamais, avec elle...

Ligori se dirige directement vers la chambre. La petite est debout sur le lit et saute dessus en riant et en criant :

— Je n'ai pas peur de vous, pas du tout...

Le lit paraît trembler tout seul. Pas seulement parce que la petite saute dessus. Trois des amis de Ligori, morts de peur, ont déjà quitté la pièce et aussi la maison. Ne reste qu'Antonio et Ligori. Ce dernier est bien décidé à ne pas s'en laisser imposer :

– Viens icitte, ma petite enfant de chienne ! Ma petite criss !

Il avance vers le lit mais Gabrielle continue de sauter sans se soucier de lui.

– Tu es un peureux, Ligori, un lâche !

Elle attrape un oreiller et le lance vers Antonio. L'oreiller reste suspendu dans les airs, sans retomber au sol. Ligori veut s'en saisir mais il lui glisse entre les mains. Il y parvient enfin mais l'oreiller lui est arraché par une force inconnue. L'oreiller poursuit sa course et fonce dans le mur où il retombe finalement sur le plancher. Gabrielle rit encore plus fort.

– Viens-t'en, Ligori, lui crie alors Antonio, il y a du diable dans la chambre.

Ligori est d'accord. Il vaut mieux partir, la petite est vraiment possédée et a des pouvoirs diaboliques. Les sœurs Clarilda et Marilda n'en sont aucunement surprises :

– C'est toujours comme cela. Nous, on a peur tout le temps. Le bon Dieu nous a abandonnées.

Ligori et Antonio ne les écoutent plus. Ils se dirigent sans tarder vers le magasin général où ils prendront de la boisson forte le reste de la veillée, essayant d'oublier ce qu'ils ont vécu. Et même

Antonio accepte de boire une forte rasade de gin en cette circonstance plutôt funeste.

Gabrielle, pendant ce temps, continue de sauter dans son lit et de hurler:

– Je n'ai pas peur de Ligori, je n'ai peur de rien ni de personne…

Sans rien ajouter de plus, elle s'endort doucement, laissant ses tantes se reposer même si ces dernières parviennent rarement à dormir depuis que Gabrielle habite chez elles.

Thérèse ne se tient pas au courant des nouvelles du village. Elle vit retirée dans sa maison avec Eudore et le petit Démétrius. Celui-là, il a bien grandi déjà. Il parle beaucoup. Et aime faire des promenades avec Eudore. Il est très attaché à son père adoptif et Thérèse ne peut que constater la chose. Elle ne s'intéresse pas à l'histoire de la possédée. Les gens de Saint-Irénée l'ennuient avec leur stupidité et leur propension à s'inquiéter de tout, à toujours chercher à stigmatiser quelqu'un ou quelqu'une. Autrefois c'était Clara, puis les travailleurs immigrants, puis Eudore qui a pourtant purgé sa peine et maintenant, une pauvre enfant venue d'un rang isolé.

Thérèse ne veut pas voir le monde et tout l'univers avec des œillères. Elle continue de lire. Lors de leur départ, les Sœurs bleues lui ont donné toute la bibliothèque de l'école en héritage. Une centaine de livres tout au plus. Assez pour occuper Thérèse durant de nombreuses années. Elle a lu *Les Fables* de La Fontaine. Elle feuillette aussi très souvent la Bible. Un livre difficile à lire mais bien différent de ce qu'en disent les curés de la paroisse et l'Église catholique. Il faut toujours se faire une opinion par soi-même, se dit Thérèse.

Ce n'était pas l'avis du curé Perron qui n'aimait pas que ses paroissiens agissent par eux-mêmes. Le nouveau curé Gravel, lui, ne se prononce pas sur ce sujet. Il vient parfois voir Thérèse mais Eudore refuse de le rencontrer. Ni Thérèse ni Eudore ne sont retournés à l'église depuis la sortie de prison de ce dernier, ce qui chagrine beaucoup le curé Gravel. Mais pour Thérèse, pas question de retourner dans ce lieu rempli d'hypocrites. Rien ne la fera plus croire en l'Église catholique. Dieu ne saurait lui en vouloir : l'Église catholique est si sale que sans doute le bon Dieu lui-même doit bien en avoir honte un peu.

Thérèse a reçu une lettre de Clara. Elle ne va pas bien. Son médecin insiste pour qu'elle se fasse soigner dans un sanatorium dans le nord de Montréal. Clara n'a pas d'argent mais les Sœurs, qui se sont attachées à elle, sont prêtes à l'héberger gratuitement. Pourvu qu'elle survive, se dit Thérèse. Clara demeure la seule amie qu'il lui reste. D'ailleurs, elle n'a jamais voulu lui parler de la présence de l'Italien dans la région. S'il fallait que Clara revienne pour cette seule raison et risque ainsi sa vie, Thérèse ne se le pardonnerait pas. Elle préfère garder la chose secrète.

Quand Clara ira mieux, Thérèse s'empressera de le lui dire. Il est vrai que l'Italien mène une vie de mécréant mais peu importe, Clara saura quoi faire pour le ramener dans le droit chemin. Elle l'aime tellement. L'amour de Thérèse est mort, celui de Clara est encore vivant et tant qu'il y a de la vie, il y a de l'espoir, raconte-t-on, mais pour Thérèse, la vie semble de bien peu d'espoir depuis la mort de son cher Démétrius.

L'aventure des «jeunesses» de la paroisse chez les Tourtes a fait rire les plus vieux du village.

— Voilà ce que c'est quand on y va un peu fort sur le gin, se moque Ernest le Lièvre en pointant son fils Antonio qui n'a pas l'habitude des boissons fortes.

– Ce que j'ai vu, je l'ai vu, dit alors Antonio. Ligori était «chaud», pas moi. J'ai vu la même chose que lui.

Les vieux ricanent. Ils en ont vu et entendu souvent, des histoires de gars en état d'ébriété. Cela ne les surprend pas. Ils se moquent joyeusement des «jeunesses» d'aujourd'hui qui ne savent plus boire, tout cela en prenant un petit verre de rhum offert par les bons soins d'Ernest le Lièvre. Euclide Gauthier, de passage au magasin, décide de les prendre aux mots. Ils proposent aux aînés du village de se rendre chez les Tourtes samedi soir, pour une soirée de cartes. Plusieurs protestent:

– Tu sais bien, Euclide, que les Tourtes ne jouent jamais aux cartes…

– Peu importe, on s'invite, elles ne diront pas non, dans les circonstances.

Voyant que plusieurs anciens hésitent, Euclide ne manque pas de leur faire sentir que c'est leur devoir d'aller constater de visu s'il y a ou non du diable dans cette maison. Pour sa part, Euclide n'y croit pas:

– On jouera aux cartes, tout simplement. Pas de boisson, cependant. Aucun alcool ne doit être admis. Juste du café fort. S'il ne se passe rien, alors on revient chacun chez nous après la soirée.

L'affaire est entendue. Euclide sera accompagné de quatre anciens du village tous au-dessus de la cinquantaine. Des hommes d'expérience, pour sûr. Le Père Ti-Boise refuse toutefois d'être du nombre :

– Je vais rester ici à prier, Euclide. Je n'aime pas ça, « tenter le démon ».

Ernest le Lièvre ne viendra pas non plus. Il explique que les demoiselles sont ses cousines et qu'il ne faut pas mêler des membres de la famille à cette histoire. Il vaut mieux attendre, selon lui, que tout se tasse plutôt que d'intervenir. Le curé Gravel ne souhaite pas s'y rendre non plus. Il espère toujours un retour du Diocèse depuis plusieurs mois et il n'interviendra pas avant cela. Il trouve cependant que l'idée d'une visite des anciens de la paroisse est excellente. Cela calmera le jeu, pense-t-il. La petite ne peut pas être si terrible.

Les demoiselles acceptent qu'une partie de cartes se tienne à leur maison le samedi suivant. Euclide a trouvé quatre bons anciens, amateurs de cartes et peu impressionnés par le diable, et tous prévoient s'amuser ferme chez les Tourtes en jouant de belles et longues parties de 500.

Blanche n'approuve pas le projet d'Euclide. Elle croit que ce dernier a tort de se mêler de cette histoire de possédée. D'ailleurs, à ses yeux, la petite Gabrielle n'a rien d'une possédée. Elle cherche simplement à faire peur aux villageois stupides de Saint-Irénée. Des gens assez sots pour s'attarder à ces histoires idiotes ne méritent pas que l'on s'intéresse à eux, pense Blanche. Euclide n'est pas de son avis, une fois de plus. Il pense qu'il faut démontrer le peu de fondements de cette histoire et il entend bien le faire. Blanche et Euclide en viennent encore à se quereller. Le Père Ti-Boise intervient à nouveau :

— J'aime pas ça quand vous vous emportez de même, le bon Dieu non plus, je crois ben…

— Encore le bon Dieu, crie Euclide, toujours le bon Dieu. Moi, je suis marié avec une femme vilaine, peut-être plus diabolique encore que la petite Gabrielle du village et il faudrait que le bon Dieu se mêle de ça… Pourquoi donc, criss !

— Euclide, tu blasphèmes…

Euclide lève le bras pour frapper Blanche qui ne bronche pas :

— Viens donc ici voir ta femme diabolique qui porte ton enfant…

Euclide se calme enfin :

— Blanche, tu es enceinte…

— Oui et ne cherche plus jamais à me frapper sinon je pars avec cet enfant et tu ne le verras jamais.

Le Père Ti-Boise jubile. La paix est revenue. Euclide embrasse Blanche et même si elle récrimine encore un peu, elle se laisse faire.

— Ce sera un garçon, proclame fièrement Euclide.

– Non, ce sera une fille. Elle aura pour prénom Gabrielle comme celle que l'on croit possédée…

– Gabrielle, tu n'y penses pas, Blanche, se serait tenter le démon. Il pourrait s'emparer de cet enfant aussi.

Euclide rit de bon cœur :

– Si le diable cherche à toucher à mon enfant, je lui ferai son affaire…

Il se rend aussitôt à son atelier y construire un nouveau berceau pour son fils qui s'en vient. Nicolas a déjà le sien. Le petit Fernand aussi avait le sien mais Euclide l'a brûlé après la mort de ce dernier. Il faut donc un nouveau berceau. Euclide a déjà hâte d'y endormir le nouveau bébé qui s'en vient.

La partie de cartes va bon train. On joue au 500 et les gageures sont élevées. Le Père Épiphane Bhérer, d'origine allemande par son grand-père, cultivateur du rang Saint-Nicolas, joue en équipe avec Euclide Gauthier. Ils affrontent les sœurs Clarilda et Marilda qui paraissent de redoutables adversaires. Le cordonnier du village, Hermel Gagné et son coéquipier Arthur Lapointe sont à l'extérieur de la table. Ils ne sont pas chanceux, ils viennent de perdre. Il y a aussi le vieux Chrysologue Fortin qui ne joue pas et qui se contente de fumer sa pipe bien tranquillement. Rien ne se passe. La petite Gabrielle ne sort pas de sa chambre et aucun bruit n'est perceptible. Tout le monde s'amuse ferme. Hermel Gagné tente même de pincer Marilda pendant que celle-ci se concentre sur la partie de cartes.

— T'étais une maudite belle créature, Marilda, quand t'étais jeune. Si t'avais pas été aussi farouche, je crois ben que je t'aurais demandé en mariage.

Marilda se laisse approcher par le cordonnier, un veuf depuis tant d'années. Clarilda n'aime pas cela. Elle, personne ne l'a jamais trouvé belle. Bien trop «grippette» et sèche. Maigre à faire peur et, en plus, elle n'a plus une seule dent dans la bouche. Clarilda invite sa sœur à davantage de retenue :

— Faut garder les convenances, Marilda.

— Il n'y a pas de boisson, Clarilda, c'est juste s'amuser un peu.

Marilda se serait bien accoutumée à avoir un homme. Même un veuf comme Hermel Gagné. Mais elle n'a jamais voulu abandonner sa sœur jumelle. Toutefois, si sa sœur mourait, alors peut-être qu'elle se laisserait tenter, qui sait ? Mais pas avant.

La partie est terminée et comme il se fait déjà tard, Marilda propose à ses visiteurs de leur servir une petite collation : rôties et fèves au lard. Clarilda riposte immédiatement :

— Voyons, Marilda, des fèves au lard avant de se coucher, c'est bien trop «chargeant».

Les hommes ne sont pas de cet avis. Certains ont un peu de route à faire avant de retourner chez eux et un petit goûter ne saurait leur faire de tort. Clarilda et Marilda mettent donc la nappe, puis des couverts. Euclide fait chauffer des tranches de pain sur le poêle bien chaud. Les fèves au lard qui cuisent sentent décidément très bon…

Mais soudain, la nappe semble vouloir se déplacer toute seule.

Clarilda vient à peine de placer le beurre sur la table que des bruits se font entendre dans la chambre de Gabrielle. Comme une voix haletante et torturée. Au même moment, le beurre bien dur s'élève dans les airs. Euclide cherche à arrêter la livre de beurre de bouger mais il n'y parvient pas. Les deux vieilles Tourtes crient à s'en fendre l'âme. Ce phénomène s'est déjà produit mais jamais avec autant de force. Euclide retient le beurre tant qu'il peut. Et voilà que c'est la nappe qui glisse toute seule et que tous les objets qui reposaient sur elle, couverts et ustensiles, se retrouvent par terre. Comme si ce n'était pas assez, la livre de beurre continue sa valse dans les airs malgré les efforts conjugués d'Euclide et Hermel pour l'en empêcher.

Arthur Lapointe, Épiphane Bhérer et Chrysologue Fortin quittent la maison sans demander leur reste tandis qu'Euclide et Hermel, comme figés sur place, voient la livre de beurre aller s'écraser violemment contre un mur de la cuisine. Tout à leur surprise, ils ne souhaitent pas, eux non plus, demeurer dans la maison des Tourtes plus longtemps.

Tout finira par se calmer après leur départ et, une fois de plus, les demoiselles n'ont plus qu'à ramasser les dégâts. Gabrielle ne quitte pas sa chambre. Elle ricane de la peur de ces hommes d'âge mûr, tout aussi écervelés que des enfants, au fond. Elle se moque d'eux et anticipe qu'elle quittera peut-être Saint-Irénée plus tôt qu'elle ne le croyait.

5

La soirée de cartes des anciens de la paroisse chez les Tourtes fait grand bruit. Les jeunes tiennent sans doute leur revanche sur les plus vieux de la paroisse mais personne, à la vérité, n'est vraiment rassuré. L'affaire se rend jusqu'au presbytère de l'abbé Léon Gravel qui demeure perplexe. Quand donc recevra-t-il un avis de son Évêque ou de l'abbé Marcel, ce fameux théologien ? Il ne le sait pas. N'ose pas insister. Il se décide tout de même à en parler à la grand'messe du dimanche devant toute la paroisse.

Il ne faut pas avoir peur, selon lui. Garder plutôt la tête froide devant l'adversité même la plus effrayante. Souvent, de tels phénomènes sont causés par une trop grande attention à des faits finalement assez banals, explique-t-il. Tout cela peut assurément s'expliquer de la plus simple façon. Pourtant, seul Dieu peut tout expliquer. Le mieux serait d'attendre l'avis des autorités diocésaines et de retourner chacun à ses affaires personnelles.

Ces événements ont déjà causé trop de bruits. Ce n'est pas bon pour la paroisse. S'il fallait que des gens de l'extérieur s'y intéressent, imaginez le scandale et la mauvaise réputation dont la paroisse ferait les frais. Il faut garder le silence. Attendre. Aucune intervention n'est nécessaire, selon l'abbé Gravel. Simplement attendre. Cela se calmera.

Les sœurs Clarilda et Marilda, pleines de dévouement et fidèles à Dieu, sont des guides sûres pour la jeune fille. Laisser faire, voilà la solution. Le mal cessera de lui-même. Et puis sans doute que le père viendra bientôt chercher sa fille, qui sait? Le curé a convaincu ses paroissiens. Plus personne ne parle de la chose depuis ce sermon mémorable. Seules demeurent, abandonnées à elle-même désormais, les Tourtes qui pleurent et prient sans cesse, sans secours possible de Dieu et des hommes face au vacarme infernal qui se fait entendre dans la chambre de la petite à toutes les nuits.

Le mot d'ordre du curé a semblé apaiser tout le monde. L'existence même de Gabrielle Tremblay n'est plus évoquée par personne. Même pas à voix basse, même pas en secret. Pourtant, les Tourtes sont toujours accablées par la présence de cette petite mystérieuse que son père néglige encore de venir chercher. Le curé Gravel a bien tenté de le convaincre de reprendre sa fille qui, de retour dans son rang natal, devrait redevenir une jeune fille bien sage, pense-t-il. Mais Joseph-Aimé Tremblay n'en est pas du tout certain. Après tout, elle faisait peur à ses frères et sœurs depuis longtemps.

Comment l'arrêter ? Son père ne le savait pas. En fait, personne ne semblait le savoir. Joseph-Aimé Tremblay suggère au curé de lui faire « passer son catéchisme » et après, elle pourrait peut-être renoncer à ses penchants mauvais. Alors seulement, il reviendrait la chercher, quand le diable serait enfin sorti d'elle. Le curé n'est pas très convaincu de cela. D'ailleurs, Gabrielle ne veut pas communier ni aller à l'église et personne ne semble capable de la maîtriser. L'affaire sombre peu à peu dans l'oubli sauf chez Gilbert Bouchard qui veut aider les Tourtes :

– Après tout, Pétronille, ce sont des parentes à toi du côté de ta mère…

Pétronille ne s'est que très peu intéressée à cette histoire. Depuis la mort de Marie-Anne, sa fille adorée, elle ronge son frein. Pour elle, le diable est dans la maison du rang de Terre-Bonne, dans la famille du Père Ti-Boise Gauthier. Pas ailleurs. Mais il est vrai qu'elle a toujours eu de la sympathie pour les Tourtes qui sont ses amies depuis de nombreuses années. Toutefois, Pétronille ne voit pas bien ce qu'elle pourrait faire face à cette furie de Gabrielle. Gilbert lui répète qu'ils peuvent faire quelque chose :

— Allons habiter là quelque temps avec les Tourtes, nous parviendrons bien à adoucir la petite.

Pétronille hésite. Il faudrait fermer la maison, en quelque sorte.

— Voyons, Pétronille, tes filles sont grandes maintenant et elles veilleront à tout.

Le jeune Pantaléon entend tout cela et s'invite :

— Moi aussi, je veux aller avec vous. Je connais Gabrielle, je l'ai vue à l'école du rang.

— Non, dit Pétronille. Toi, tu restes ici. Avec tes frères et tes sœurs.

— Alors, tu viens avec moi, Pétronille ?, demande à son tour Gilbert.

— Grand fou, tu m'en fais faire des « affaires simples » ! Oui, je veux y aller. Je respecte le bon Dieu mais le diable ne me fait pas peur. Et puis, ça peut nous reposer un peu de la maison pour quelque temps. Surtout, c'est l'hiver, tu as moins d'ouvrage sur la terre et les garçons vont s'occuper du « train ». C'est d'accord, il faut le demander à Clarilda et Marilda, par exemple...

– Elles ont accepté. J'ai présumé de ta réponse. Elles nous attendent.

– Ah toi ! Quand tu as quelque chose dans la tête !

Gilbert Bouchard rigole. Pétronille, selon lui, avec son caractère déterminé, pourrait bien décourager le démon à tout jamais de séjourner à Saint-Irénée. Le couple part sans tarder résider chez les Tourtes.

Thérèse craint toujours le pire. Si Eudore… si Eudore… Comment l'en empêcher. C'est un grand malade, un pervers. Elle le sait. Peut-elle le chasser ? L'enfant a maintenant trois ans, il grandit trop vite. Plus il avance en âge, plus le risque est grand, pense-t-elle. Voilà encore Eudore qui rentre à la maison avec le petit, après une autre marche vers la petite cabane le long du fleuve.

– Pourquoi toujours te rendre là, Eudore, c'est un peu fatiguant pour le petit.

– Je veux lui montrer où sa mère a fait des péchés avec un Italien…

– Tu lui as dit que tu n'étais pas son père ?

– Oui. Il sait tout. Mais il m'aime et il me considère comme son vrai père.

Eudore passe sa main dans les cheveux du petit :

– Tu es mon fils, n'est-ce pas, Démétrius ?

– Oui, papa, je suis ton fils.

– Et ta mère…

– Elle est une salope… Elle a couché avec un Italien…

Thérèse frémit. Elle saisit Démétrius et tente de l'éloigner d'Eudore. Le petit veut retourner trouver son père. Il pleure, il crie. Eudore jubile :

– Démétrius porte le nom de l'Italien mais il est à moi désormais, pas à toi. Tu n'y peux plus rien, pauvre folle, c'est trop tard.

– Et toi, espèce de salaud, je te dénoncerai à la police.

Elle prend le téléphone. Démétrius s'affole :

– Non, non, je ne veux pas que papa retourne en prison. S'il s'en va, je ne resterai pas avec toi.

Thérèse voit bien qu'Eudore lui a enlevé son fils. Il faudra qu'elle parvienne à lui faire comprendre le danger que représente Eudore pour lui. Il est encore petit, si petit. Plus tard, il comprendra mieux. Ce salaud d'Eudore ne l'approchera plus autant, désormais. Elle y verra. Elle fera tout ce qu'elle pourra. Elle a eu tort de lui faire confiance. Elle le voit bien. Maintenant, elle est à nouveau en guerre avec lui. Elle regagnera la confiance de son fils. Il le faut pour l'honneur de Démétrius son amour mort, pour que son fils ne soit pas une autre victime de l'horrible vice d'Eudore.

〜

Pétronille trouve finalement que c'est bien agréable comme séjour et que la maison des Tourtes est particulièrement confortable, même en hiver. Avec Gilbert, son mari, ils dorment dans une belle chambre avec vue sur le fleuve. Pétronille n'a jamais connu cela. Là où elle est née dans un rang de l'arrière-pays et là où elle vit dans sa maison actuelle à Saint-Irénée, il n'est pas possible de voir le fleuve, ce que Pétronille déplore au plus haut point :

— Vivre à Saint-Irénée et ne pas voir le fleuve, quelle misère quand même, dit-elle souvent.

Chez les demoiselles Tremblay, tout est reposant. Pétronille se fait servir de bons repas par Clarilda et Marilda qui se révèlent de merveilleuses cuisinières. Et la petite Gabrielle semble bien calme. Depuis deux nuits, rien ne bouge. Le calme plat. Gilbert se tourne un peu les pouces, aussi décide-t-il de réparer quelques *barreaux* de chaises berçantes qui sont brisés, la maison étant si bien entretenue qu'il ne trouve rien d'autre pour s'occuper. Il s'en étonne lui-même :

63

— Êtes-vous de bonnes menuisières, mes-demoiselles ?

La réponse est oui : Marilda répare à peu près tout. Mais elle ne sait pas fabriquer de belles nappes comme Pétronille qui travaille au métier depuis plusieurs années. Ses couvertures boutonnées, ses petits napperons, ses tapis tressés et ses nappes en dentelle connaissent beaucoup de succès auprès des touristes.

Au début, Pétronille vendait sa production artisanale à une entreprise de Pointe au Pic ou encore au Manoir Richelieu. Toutefois, depuis que la route passante longe leur maison, elle n'a qu'à placer une petite affiche et de nombreux touristes s'arrêtent chez elle. Sa réputation est grande auprès des villégiateurs anglais de passage l'été dans la région. Pétronille fait des affaires d'or. Elle n'en parle pas trop de crainte de susciter de la jalousie. Depuis l'incendie dont elle a été victime il n'y a pas si longtemps, la famille Bouchard s'est bien replacée sur le plan financier, en grande partie grâce au labeur d'artisane de Pétronille. Elle a donc pensé apporter une belle nappe pour donner aux Tourtes. Marilda n'en revient pas :

— Comme elle est belle, cette nappe, Pétronille.

— À vous, Marilda et Clarida, d'y faire bien attention.

— Pouvons-nous la mettre pour le souper ?

– Pourquoi pas? dit Pétronille, touchée du compliment de Marilda.

De son côté, Gilbert Bouchard tente tant bien que mal de faire sortir la petite de sa chambre. Pétronille insiste aussi:

– Viens souper, fais pas ta méchante fille! lui dit-elle en lui tirant un peu l'oreille.

Gabrielle réagit mal. Elle lance un regard de feu à Pétronille:

– Lâche-moi, vieille folle!

– Tu ne vas pas insulter ma femme, dit alors Gilbert très fâché.

Gabrielle ferme la porte de sa chambre avec violence et dès ce moment, une sorte de frottement de fer se fait entendre. Gilbert Bouchard pense que c'est le lit qui craque. Rien de bien sérieux, donc. Mais comme Pétronille est à étendre sa belle nappe sur la table, voilà que celle-ci demeure suspendue dans les airs. Tous croient avoir une vision et pourtant, la nappe ne retombe pas sur la table. Pétronille commence à croire qu'il y a du diable là-dessous, mais demeure intraitable et crie très fort:

– Lâche ma belle nappe, toi!

Pétronille saisit la nappe et appuie de toutes ses forces pour la remettre en place. Sans succès. À ce moment, l'artisane outrée décide de ramener la nappe vers elle:

– Non, non, tu l'auras pas, ma nappe, crie-t-elle !

Aussitôt, la nappe se déchire en deux, et Pétronille doit lâcher prise :

– Gilbert, ma belle nappe est toute déchirée, Gilbert, ma belle nappe, je veux partir d'ici, Gilbert.

Ce dernier est tout aussi impressionné. Mais il ne veut pas laisser voir qu'il a peur. Il dit simplement aux demoiselles :

– Pétronille est déçue à cause de sa nappe, il vaut mieux que nous partions.

Le couple prend ses affaires et s'en va sans insister davantage. Clarilda et Marilda se retrouvent seules à nouveau avec leur nièce possédée. Gabrielle rit très fort, toute heureuse que cette étrangère et son mari se retirent enfin. Puis, tout s'apaise. Les Tourtes n'ont plus envie de souper et de manger le bon morceau de porc que Pétronille leur avait apporté. La nuit vient. Une autre nuit à craindre le pire pour les pauvres demoiselles à nouveau abandonnées.

6

Thérèse se dépêche de se rendre à la carriole. Il fait beau mais la neige ne semble pas loin. Elle doit faire vite. Elle se rend à l'église où elle souhaite parler au curé Gravel. Elle amène aussi Démétrius qui ne veut rien savoir et dit préférer demeurer avec son père.

Eudore ne dit rien. Il va rester seul à la maison et cela ne le dérange pas. Il sait bien que Thérèse va revenir très vite et que sa démarche sera vaine. Il connaît trop bien les prêtres pour penser que ces derniers peuvent régler quelque chose ou encore aider les autres. Ce sont des égoïstes. Comme Eudore. Comme tout le monde. Personne ne s'intéresse aux autres. Seulement à soi. Thérèse est folle et comme d'habitude, elle fonce tout droit vers de cruelles déceptions.

Thérèse le pense aussi. Mais elle veut mettre quelqu'un dans le secret, faire connaître ses craintes, ses peurs. Le curé Gravel est un homme bon. Contrairement au curé Perron. Il va l'écouter.

Thérèse est remplie de confiance lorsqu'elle arrive au presbytère. Le curé Gravel n'a pas de ménagère. Il n'en a pas voulu. Le presbytère est donc un peu en désordre mais qu'importe, Thérèse ne voit rien. À la demande du curé, elle va s'asseoir au salon. Thérèse ne souhaitant pas qu'il entende leur conversation, Démétrius est resté à l'écart. Pour le distraire, le curé Gravel lui fait jouer un morceau de musique sur le vieux gramophone de la fabrique, ce qui enchante Démétrius qui sait comment faire jouer les disques. Thérèse et le curé Gravel sont donc libres de parler à leur guise.

— Monsieur le curé, je veux divorcer. Je crains Eudore, pour le petit, vous savez.

— Je comprends votre inquiétude. Mais le divorce n'est pas permis par la loi et encore moins par notre Sainte Église.

— Il doit pourtant y avoir un moyen, c'est un criminel, j'ai peur pour Démétrius…

— En effet, la situation peut être gênante. Mais Eudore a sans doute changé depuis qu'il est allé en prison. Venez donc à la messe plus souvent, je crois que ce sera mieux.

— Je ne crois pas qu'Eudore ait changé. Et puis la messe, ce n'est pas possible, toute la paroisse va nous juger encore. C'est trop pour moi.

— Mais il faudra bien que Démétrius apprenne la religion, fasse sa communion, sa confirmation. Il a été baptisé, après tout.

— Nous verrons plus tard, monsieur le curé. Pour le moment, je ne suis pas capable d'aller à la messe, j'ai trop honte.

— À tout péché miséricorde et puis, ce n'est pas vous qui êtes coupable, sinon de vous détourner de l'Église et d'en détourner votre fils…

— Je pense que vous ne me comprenez pas, monsieur le curé…

— Je tente pourtant de le faire…

Thérèse quitte rapidement le presbytère, sans vraiment de réponses ni de solutions face à ses graves inquiétudes. Le curé Gravel lui a dit d'espérer et que la Providence lui enverrait sans doute ses lumières. Elle espère bien mais n'y croit pas trop. Qui donc pourrait comprendre ce qu'elle ressent? Certainement pas son fils Démétrius qui se détourne d'elle, désormais, et qui n'a qu'une seule hâte, celle de retrouver son père.

Pétronille se remet mal de son séjour chez les Tourtes. Surtout d'avoir vu sa belle nappe être déchirée par une force occulte. Elle pleure souvent et a maintenant peur la nuit. Elle n'ira pas consulter le curé Gravel en qui elle n'a pas confiance. Il est trop faible, trop indécis. Depuis sa mésaventure chez les Tourtes, Pétronille est catégorique : il faut chasser le démon de la paroisse. Elle n'aura pas de repos avant, répète-t-elle. Son mari Gilbert préfère garder le silence. Il a eu peur, lui aussi, sauf qu'il ne l'avouera pas devant sa femme et ses enfants, par pure fierté de mâle. Il préfère oublier. Ne plus parler de tout cela. Se taire. Pétronille revient pourtant constamment à la charge : il faut chasser le démon, il faut chasser le démon...

Les deux plus vieux de la famille Bouchard, Roger et Lionel, approuvent le projet de leur mère. Ce sont de grands garçons de plus de vingt ans maintenant et ils sont forts. Ils vont bûcher dans le bois tout l'hiver et font la drave. Ils ne sont pas très sérieux, cependant, préférant fêter avec les filles du village plutôt que de songer à se marier.

Les deux frères Bouchard n'ont pas peur du diable. Ils parlent de leur projet à leur père : s'assurer que Gabrielle Tremblay quitte la paroisse le plus tôt possible. Ils sont prêts à la placer sur le train ou à bord d'une goélette vers Québec, s'il le faut. La faire disparaître, même. Le pauvre Gilbert n'en croit pas ses oreilles : ses fils sont-ils devenus fous ? La violence ne règle jamais rien. Et puis, il craint pour eux. Les forces dirigées par Gabrielle peuvent être redoutables, il l'a bien vu. Il conseille à ses fils de ne rien faire. Ces derniers sont déçus, eux qui souhaitent agir de quelque façon que ce soit.

S'ils ne peuvent le faire par eux-mêmes pour ne pas inquiéter leur père, alors pourquoi ne pas chercher à faire accomplir la tâche par quelqu'un d'autre? Le père n'en saura rien. Un nom s'impose tout de suite aux frères Bouchard et c'est celui de Raoul Girard. Ils n'auront pas de difficultés à le rencontrer. Il suffit d'aller à l'hôtel Hovington à La Malbaie, endroit mal famé où Raoul et l'Italien vont régulièrement s'enivrer et vendre du gibier. Pendant ce temps, Pétronille continue de filer un mauvais coton. Elle pleure encore plus souvent. On dirait que sa vie a basculé. Elle déraisonne et répète à tout bout de champ:

— Le diable a déchiré ma belle nappe! Ma belle nappe!

Eudore ne reste pas seul souvent. L'essentiel de sa vie repose désormais sur Démétrius qu'il considère comme son propre fils. Thérèse se trompe en pensant qu'il pourrait faire du mal au petit. Et puis Eudore n'a plus beaucoup d'intérêt pour le sexe. Depuis son triste passage en prison où il fut agressé à plusieurs reprises, il évite de penser à tout cela. Il se dit que tout a changé dans sa vie. Tente de s'en convaincre, en fait. Pourtant, quelquefois, il n'est plus certain de rien…

Au loin, Eudore voit par la fenêtre un bel homme qui arrive de la gare. Il marche difficilement. Depuis l'arrivée du train dans Charlevoix, la gare de Saint-Irénée a été érigée non loin de la maison d'Eudore. Il ne s'y passe pas grand-chose. Le train rêvé par Rodolphe Forget ne connaît pas tant de succès que cela. Plusieurs préfèrent encore utiliser les goélettes pour aller à Québec et les touristes continuent de venir dans la région avec la rutilante Croisière du Saguenay et ses beaux bateaux blancs.

C'est un anglophone qui occupe la fonction de chef de gare à Saint-Irénée. Un emploi qu'Eudore aurait bien aimé décrocher. Pour le moment, il doit y renoncer. Mais il a encore du temps devant lui. Il n'est pas si vieux. John Cameron, lui, parle plutôt mal le français. Il a eu l'emploi de chef de gare après avoir travaillé un été au Manoir Richelieu de Pointe au Pic où il a connu des dirigeants du Canadien National, responsables de la ligne de chemin de fer. Au Manoir Richelieu, tout s'effectue en anglais, alors la direction embauche des employés en provenance surtout de Montréal.

John Cameron, un étudiant en administration, avait aimé la région lors de son passage au Manoir Richelieu. Il adore la chasse et la pêche et l'emploi de chef de gare à Saint-Irénée n'est pas très difficile. Pas très payant non plus. Et la population du village, si fermée face à l'étranger qu'il est, fait en sorte que son avenir dans cette localité paraît plutôt incertain. Eudore se dit qu'il obtiendra l'emploi un jour. Après tout, il est le seul homme dans le village avec un peu d'instruction.

Le bel homme titube encore et s'affale de tout son long. Il a les cheveux blonds. Pas encore trente ans d'après ce que peut constater Eudore. Il est peut-être malade. Eudore se décide à aller lui porter secours. Il met son manteau. Il fait froid. Le malheureux peut geler. Eudore arrive près de lui et sa surprise est grande :

– C'est Arthur Gauthier et puis il est saoul mort… !

Eudore s'empresse de l'amener à la maison. Le froid est vif. Le vent venu de la mer transperce le pauvre Arthur qui ne semble conscient de rien et qui n'est vêtu que d'un simple manteau trop léger pour l'hiver.

Roger et Lionel Bouchard entrent à l'hôtel Hovington de La Malbaie. Il y a beaucoup de monde, ce soir. Des hommes, surtout des bûcherons, beaucoup d'habitants de la route de Sable, un secteur de La Malbaie situé à proximité de l'hôtel. Un individu est d'ailleurs en train de transiger avec Raoul au sujet d'une belle pièce de caribou chassé dans le secteur des Grands Jardins :

— Il y en a de moins en moins, de caribous, dit Raoul.

— Je sais, lui répond l'inconnu. Mais mes clients aiment bien déguster cette viande…

L'affaire est vite conclue. Quelques dollars et Raoul a de quoi boire pour la veillée. L'Italien a déjà commencé à consommer du whisky. Il trinque solide, cet Italien. Il s'est vite habitué aux boissons fortes en vogue dans la région. Roger et Lionel Bouchard se sont assis avec lui et sont contents de voir Raoul arriver :

— Salut Raoul, dit Lionel !

— Qu'est-ce que vous faites ici, les gars de Saint-Irénée, vous voulez virer une autre « brosse » chez Hovington ?

— Pourquoi pas ? répondent-ils en cœur.

Le sujet est cependant bien plus sérieux. Roger parle de l'histoire de la possédée, ce qui fait bien rire l'Italien :

— C'est une petite fille, mama mia, rien de bien inquiétant !

Raoul se moque :

— Deux gros hommes comme vous autres qui avez peur d'une petite fille grosse comme une puce.

— Je te dis, Raoul, il y a du diable là-dessous. Mes parents ont vu des choses pas croyables, insiste Lionel.

Le diable? Raoul n'en a pas peur. L'Italien non plus. Ils acceptent sans hésiter l'offre des frères Bouchard : 20 $ pour débarrasser le village de Gabrielle Tremblay. Une affaire bien simple, pense Raoul en recevant le billet de 20 $, en pensant même que c'est quasiment trop payé.

– Attention, pas de sang ou de violence, par exemple, répètent les deux frères. Seulement une disparition discrète. Rien ne doit se savoir.

Raoul leur garantit la discrétion absolue. Faire disparaître une petite fille de quinze ans, ce n'est pas si difficile… Les frères Bouchard trinquent allégrement avec Raoul et l'Italien. La soirée s'éternise au point qu'elle ne se termine que lorsque tous sont totalement ivres et doivent finalement coucher à l'hôtel Hovington.

Arthur se réveille peu à peu. Thérèse lui apporte de l'eau. C'est qu'il préférerait autre chose, le bel Arthur! Pourquoi pas de la boisson un peu plus forte? Eudore doit bien avoir un peu de gin quelque part. Effectivement, Eudore peut faire une «ponce de gin» à Arthur. Comme cela le réchauffe, comme cela lui fait du bien! Il retrouve enfin ses sens et est pour le moins surpris de se retrouver à Saint-Irénée.

Vraiment, il ne pensait pas revenir dans son village natal en ce mois de février de l'année 1923. Ce n'était pas dans ses plans. Il prévoyait plutôt rester à Québec, s'installer là. Ou dans les environs. À Lévis plus précisément, sur la rive sud. Mais que fait-il donc à Saint-Irénée? Une autre «ponce» et puis la mémoire lui revient un peu plus.

Il demande à Thérèse de ne pas contacter son père ou sa famille pour le moment. Il souhaite rester ici, dans la maison d'Eudore et de Thérèse, pour quelques jours. Eudore fronce les sourcils. Il n'est visiblement pas d'accord avec cette proposition. Thérèse pense le contraire. Un autre homme dans la maison, ce n'est pas une mauvaise chose et c'est même plutôt une situation étonnante voulue sans doute par la Providence divine. Ou quelque chose comme ça. Enfin, elle dit à Arthur qu'il peut rester tant qu'il le veut et qu'elle n'en dira rien à sa famille. Eudore promet aussi de se taire. Il faut convenir qu'à Saint-Irénée, tout finit par se savoir mais, pour un temps peut-être, il sera possible de garder le secret. Arthur veut retrouver ses souvenirs. Et ça pourrait prendre un peu de temps. Thérèse lui installe un espace avec un bon lit douillet dans une pièce de l'ancien magasin maintenant fermé. Arthur y sera bien. Thérèse referme la porte. Eudore garde le silence. Elle se sent comme protégée. Lui pense que cette présence d'Arthur Gauthier n'a rien de bon. Mais il laisse Thérèse agir à sa guise. La maudite, pense-t-il, elle sera toujours redoutable, toujours surprenante. Il décide d'aller prendre l'air à l'extérieur. Il amène Démétrius et ce, même s'il fait froid. Thérèse entend le ronflement grinçant d'Arthur. Ce souffle puissant la rassure, la rend si calme, pour peu elle dormirait tout aussi calmement. Mais il vaut quand même mieux surveiller Eudore du coin de l'œil.

7

Raoul entend s'occuper rapidement de la petite possédée. Une histoire pas bien compliquée. Il a pris sa carabine, ce qui déplaît à Angelo.

– C'est une petite… là… Raoul… faut pas lui faire de mal.

L'Italien a trop bon cœur. Raoul n'aime pas cette Gabrielle. Le diable, il devrait pourtant le connaître. Toutefois, Satan n'est jamais venu l'importuner. Il faut donc que cette enfant soit mauvaise. Plus mauvaise encore que lui. Plus criminelle même. Ce n'est pas une petite fille de quinze ans qui va lui faire peur. Et puis le diable non plus ne le fera pas trembler. Il se moque des gens de Saint-Irénée, bien trop peureux pour rien. Mais Angelo n'est pas convaincu :

– Sornettes que tout cela… Raoul… c'est mieux de laisser tomber. Moi, le diable, je n'aime pas. Je suis catholique, Santa ! dit-il en faisant le signe de la croix.

Raoul rit de bon cœur. Il y a longtemps qu'il a cessé de croire en l'Église catholique. Et puis s'il faut combattre le diable, pourquoi pas? Au fond, Raoul n'accepte pas qu'un autre diable que lui s'impose dans la place. C'est lui, le diable, c'est lui qui fait peur. Si quelqu'un le concurrence, même une petite possédée de quinze ans, il va combattre. Le diable n'est pas plus fort que lui. C'est certain.

Il prend sa carabine et invite Angelo à se diriger avec lui vers le village de Saint-Irénée. L'Italien accepte finalement d'y aller, après bien des hésitations. Il fait nuit noire. La petite doit dormir profondément. C'est le temps d'aller lui faire comprendre que Raoul est le seul vrai diable de par ici.

<hr />

Arthur Gauthier habite chez Eudore et Thérèse Boutin depuis deux jours. Il n'a fait que dormir et « dégriser ». Il va maintenant mieux. Aujourd'hui, il a même pris l'air. Tout près de la gare, il a rencontré John Cameron. Le chef de gare lui a paru sympathique. Arthur lui a dit que bientôt le capelan allait rouler. John Cameron connaît ça. Il est dans la région depuis près de deux ans déjà. Il n'a cependant pas vraiment d'ami. Il aimerait bien aussi rencontrer une jeune fille de son âge. Après tout, il n'a que 22 ans et ce n'est pas toujours facile de rester seul. Mais à Saint-Irénée, tout le monde reste distant avec cet étranger, cet Anglais, « ce protestant qui n'a pas d'affaire par icitte », comme presque tout le monde du village le pense.

John trouve la conversation d'Arthur divertissante. Il ne veut pas croire qu'il vient de Saint-Irénée. Cela paraît qu'Arthur a beaucoup voyagé, pense le chef de gare. Il semble aussi plus instruit que la plupart des villageois du secteur, il parle même un peu anglais et Arthur a fait de la comptabilité dans les camps de bûcherons. Cela tombe bien.

John Cameron n'entend plus rester bien longtemps par ici. Il ne veut pourtant pas laisser son employeur trop rapidement car il paraît difficile de lui trouver un successeur. Pas question d'employer un criminel comme Eudore, même si ce dernier pourrait facilement occuper l'emploi. Autrement, qui donc serait assez instruit pour être chef de gare à Saint-Irénée et remplir les papiers administratifs, accueillir les villégiateurs anglais, communiquer facilement avec la direction du Canadien National ? Personne, mais peut-être Arthur Gauthier...

Pour entrer dans la maison des Tourtes, il suffit de casser une vitre, déclare Raoul sans trop réfléchir. Il s'exécute immédiatement. Angelo dit que c'est de la folie, mais Raoul ne l'écoute même pas. Il pénètre dans la chambre de Gabrielle par la fenêtre. La petite est là, debout, et fait face à Raoul. Angelo l'a suivi et se trouve aussi dans la chambre. Raoul lui remet sa carabine. Il se dirige vers Gabrielle. Elle ne tremble pas. N'a pas peur du tout. Recule un peu. Raoul finit par l'attraper. L'Italien lui demande de ne pas faire de mal à cette enfant.

Soudainement, d'autres vitres se fracassent dans la maison même si personne ne les a touchées. Raoul trouve cela étrange mais tente tout de même de contenir la petite et de la frapper. Elle commence à le griffer sur le bras. Il réussit à la retenir et s'apprête à lui donner une gifle. Mais elle le griffe encore. Il saigne abondamment du bras gauche. Gabrielle agrippe une poignée de cheveux de Raoul et elle semble pouvoir les arracher par touffes successives.

Raoul a l'impression que ses cheveux sont comme brûlés par la main de la petite. D'ailleurs, on dirait que ça commence à sentir le roussi, dans la chambre… Gabrielle répète ce manège à plusieurs reprises. Bientôt, la longue tignasse rousse de Raoul est presque toute arrachée. Il y a plein de cheveux par terre. Abandonnant tout orgueil,

Raoul se met à crier de douleur et il demande à Angelo de l'aider. Ce dernier ne bouge pas :

– Tire, Angelo, tire sur elle avec la carabine… tire…

L'Italien ne tire pas. Il se sauve plutôt à l'extérieur de la maison avec la carabine et s'en retourne en courant vers la route de Sable. Raoul, lui, reste seul avec Gabrielle qui s'est éloignée de lui. Les Tourtes, réveillées par tout ce vacarme, ordonnent à Raoul de partir, tout en constatant l'amas de vitres cassées et l'odeur de feu dans la maison. Raoul se rend compte que son crâne est désormais totalement dégarni et qu'il est chauve ou presque. Il doit se rendre à l'évidence : il est préférable pour lui de quitter les lieux. La plaie ouverte sur son bras saigne encore. Il y a vraiment du diable là-dessous.

Raoul quitte les lieux sans insister davantage. Plusieurs jours après, il constate que ses cheveux ne repoussent pas. Raoul restera chauve à la suite de son affrontement avec Gabrielle et n'acceptera plus jamais que quelqu'un lui parle de cette aventure. Sinon Angelo qui se permet de se moquer de lui :

– Ça te fait bien, le crâne nu, Raoul, tu as l'air d'un grand bandito ! Terrible ! Tu fais peur.

Raoul fera peur aux autres encore longtemps. Mais à présent, il a appris que le diable est sans doute plus fort que lui. Alors, il préfèrera ne plus avoir à le rencontrer à tout jamais, au grand jamais ! Et il ne veut surtout plus revoir cette possédée qu'est Gabrielle Tremblay.

———

John Cameron est un bel homme. Grand, bien bâti, cheveux blonds, sportif, il pratique la course à pied le long du fleuve en été. Voilà qui est bien suffisant pour plaire aux jeunes filles de Saint-Irénée et plusieurs d'entre elles n'hésitent d'ailleurs pas à lui faire sentir leur attirance pour lui. Il en a profité largement et s'est permis plusieurs escapades avec certaines d'entre elles.

Mais voilà, pas question d'entretenir de relations plus régulières avec l'une ou l'autre. Le jugement est implacable : pas le droit de « sortir » sérieusement avec un protestant. John Cameron n'est pas croyant, et c'est certain qu'il ne va pas se convertir au catholicisme pour épouser une fille de Saint-Irénée ou des environs. Sûrement pas. Il aimerait pourtant se marier, fonder une famille. Alors, même s'il aime Saint-Irénée, il est bien décidé à quitter les lieux sous peu. Ses employeurs souhaitent toutefois qu'il se trouve un remplaçant avant de partir. Arthur Gauthier lui apparaît enfin comme ce possible successeur. Il lui en fait la proposition :

— Tu pourrais devenir le chef de gare de Saint-Irénée, Arthur, si tu veux. J'en parle à mon patron et c'est ok…

Arthur s'étonne de cette proposition mais l'idée ne lui déplaît pas. Pas du tout intéressé à travailler sur la terre avec son père, voilà pourquoi il ne cherche pas vraiment à reprendre contact avec lui pour le moment. Le Père Ti-Boise insisterait, et il faudrait qu'Arthur le déçoive encore. Devenir chef de gare, dans ce contexte, est une riche idée. Il pourrait demeurer à Saint-Irénée pour un temps, profiter des belles filles du coin et mener la belle vie. Il va donc accepter la proposition de John Cameron. Seulement, ce dernier a une légère hésitation :

— Je pense que tu prends de la boisson souvent… Arthur…

— Oui, ça m'arrive… dit Arthur en hésitant…

— Un peu beaucoup… Tu devras cesser, car mes employeurs m'ont fait confiance et je ne veux pas avoir de troubles… en leur référant un gros buveur… Tu comprends…

— Alors seulement la fin de semaine…

— *Oh no !* Le week-end, c'est le travail le plus gros, dit John Cameron ! Il y a des voyageurs, beaucoup de colis, pas de *drinks* le week-end non plus.

– Ça devrait être possible...

– *Sure!* Mais ton billet de retour, ce n'est pas toi qui l'a payé comme je l'ai vu sur la feuille de correspondance... C'est un Mister Jenkins de Lévis qui l'a fait... Veux-tu me raconter pourquoi, Arthur?

– Ça, c'est une longue histoire...

John Cameron n'est pas pressé. Le train n'arrive pas avant ce soir et il est à peine une heure de l'après-midi. Il écoute donc attentivement l'histoire étonnante que lui raconte Arthur Gauthier.

L'abbé Léon Gravel est perplexe. Il n'a toujours pas reçu de réponses du Diocèse. Pourtant, la situation ne cesse de s'aggraver avec la petite Gabrielle. Les phénomènes étranges se multiplient et le dernier en lice concernant Raoul Girard, ce mécréant, bien qu'il fasse sourire la plupart des paroissiens, n'en demeure pas moins inquiétant. Comment a-t-elle pu, cette petite exaltée, arracher sans hésiter la longue chevelure de Raoul? Et puis cette odeur de feu, n'est-ce pas l'enfer? Il serait vraiment temps que le Diocèse réagisse. Mais aucun retour ne vient.

Et voilà que Ligori Tremblay, le bedeau de la paroisse, arrive avec une mauvaise nouvelle. Il paraît qu'Arthur Gauthier, un fils d'Ambroise du rang de Terre-Bonne, s'est installé chez Eudore Boutin depuis plusieurs jours déjà. Il n'est certainement pas acceptable que ce vieux garçon habite sous le même toit que ce couple déjà fort dépareillé. L'abbé Gravel n'a pourtant pas l'habitude de ce genre d'intervention. L'abbé Perron, lui, dont c'était un peu l'habitude, s'était fait de nombreux ennemis à cause de cela. Et l'abbé Gravel ne veut pas avoir d'ennemis dans sa paroisse. Il préfère se présenter comme un conciliateur, un homme de paix.

Mais Dieu sait que cela n'est pas facile et surtout pas à Saint-Irénée. Il décide d'attendre que la nouvelle vienne aux oreilles du Père Ti-Boise qui n'est pas encore au courant, semble-t-il. Mais les paroissiens sont si bavards que cela ne devrait pas tarder, si ce n'est déjà fait. Le rang de Terre-Bonne n'est pas si loin, finalement. Le curé pense donc qu'il n'aura pas à intervenir. Le Père Ti-Boise, en homme avisé, saura ramener son fils à la maison pour le temps qu'il séjourne à Saint-Irénée. L'abbé Gravel décide qu'il vaut mieux ne rien dire, ne rien faire, convaincu que ce sera bien mieux ainsi.

C'est qu'Arthur Gauthier, en faisant chantier sur la rive sud, s'était fait ami avec le boss de la Compagnie, un dénommé Robert Jenkins. Celui-ci semblait avoir de l'affection pour Arthur. Ils prenaient même parfois un petit verre de rhum ensemble, discrètement, loin du regard des autres employés. Robert Jenkins trouvait qu'Arthur était un bon travailleur particulièrement habile, plus intelligent que la moyenne et qu'il méritait mieux que le triste sort d'un forestier itinérant. Il pensait même aider Arthur à se familiariser avec la comptabilité.

Un jour, à la fin de la saison, il l'invita chez lui, à Lévis. Robert Jenkins avait une belle maison, dans un quartier aisé de la ville. Son épouse était fort gentille et sa fille Lucille, pas encore mariée à 26 ans, n'avait rien de désagréable non plus. Elle n'était peut-être pas parmi les plus jolies, mais elle avait des formes attirantes et Arthur se disait qu'elle lui ferait sans doute une bonne épouse. Elle était instruite et elle lisait de beaux livres reliés. Arthur aussi aimait la littérature.

Lucille avait étudié chez les religieuses Ursulines à Québec, elle parlait le français et l'anglais. Elle s'amusait à tenter de discuter en anglais avec Arthur qui n'était pas mauvais dans cette langue, puisqu'il avait parfois fait chantier dans des secteurs anglophones de l'Outaouais. Arthur passa ainsi plusieurs jours à Lévis et il fut bientôt question de fiançailles. Lucille s'était grandement éprise de lui. Elle le trouvait si beau. Il lui manquait peut-être un peu de manière mais cela pouvait s'arranger. Et il chantait si bien. Une voix d'or! Elle l'accompagnait au piano. Avec elle, Arthur ne chantait plus de chansons grivoises mais de beaux cantiques. Il ne savait la musique qu'à l'oreille mais il chantait très juste.

Robert Jenkins trouva donc bientôt à Arthur un poste intéressant à l'entrepôt de la Compagnie à Lévis, comme manutentionnaire. Il pourrait éventuellement travailler au bureau-chef de l'entreprise dès que ses connaissances de la comptabilité seraient bonnes et qu'il aurait pris un peu plus d'assurance en anglais. Arthur s'installa donc à Lévis. Il fréquenta assidûment Lucille qui, en plus, lui écrivait de belles lettres d'amour. Arthur lui répondait toujours. Ils se voyaient deux soirs par semaine et après quelques temps, leurs fiançailles furent annoncées. Comme il était question d'un mariage prochain, Arthur reçut une promotion au bureau-chef de la Compagnie à Québec comme commis-comptable. Un travail payant. L'avenir s'annonçait radieux pour Arthur Gauthier.

8

Pétronille Bouchard s'en est finalement remise : elle ne pense plus à sa nappe et à la petite Gabrielle. Personne ne lui en parle non plus. Son mari Gilbert demeure toutefois songeur. Il se dit qu'il faudrait bien agir, mais il ne sait pas quoi faire. Refusant toute forme de violence, il n'a pas du tout apprécié que ses fils fassent intervenir Raoul Girard dans cette affaire. Raoul est un criminel et cela aurait pu être grave. Lionel et Roger auraient pu se faire les complices d'un meurtre.

Il faut donc songer à une autre forme d'intervention, moins violente pour sûr. Peut-être trouver quelqu'un qui connaît bien les ruses du démon. Personne n'est venu du Diocèse pour aider les paroissiens de Saint-Irénée. En fait, Gilbert Bouchard pense qu'à Saint-Irénée, il n'y a qu'une personne capable d'affronter le démon sans frémir et sans doute avec succès. Une personne qui connaît bien le diable et peut-être même qu'il en a un peu en lui et c'est bien l'ancien curé de la paroisse, l'abbé Joseph Perron.

Le vieux prêtre s'est retiré dans une maison du village. À peu près personne n'a de contact avec lui depuis. Mais puisque le curé de la paroisse est trop faible pour agir, Gilbert Bouchard se promet d'adresser une demande pressante au curé Perron pour qu'il intervienne. Il est convaincu qu'avec lui, la situation se calmera. Il a l'autorité qu'il faut. C'était un prêtre comme lui qu'il fallait pour Saint-Irénée et pas un peureux et un hésitant comme l'abbé Gravel. À son prochain passage au village, Gilbert Bouchard ira donc chez le curé Perron afin de solliciter son intervention.

Arthur Gauthier n'a jamais bien su comment tenir ses promesses. Travailler à Lévis, c'était pourtant la stabilité assurée. Il se rendait voir sa promise tous les « bons soirs » et puis la vie était simple et facile. Toutefois, depuis son arrivée à Québec, au bureau-chef de la compagnie forestière, les choses se compliquent un peu. Ce n'est pas que le travail y est difficile, loin de là. Arthur apprend vite et il maîtrise très facilement la comptabilité de l'entreprise. Le problème n'est pas là.

En fait, le vrai problème, c'est que Québec est une ville trop intéressante. Arthur travaille et habite dans le secteur Saint-Roch, un quartier avec de beaux magasins, une vie sociale intense et surtout... de nombreux hôtels.

Ce qui devait arriver arriva : même si Arthur a fait à Lucille la promesse de ne plus boire, il a pourtant recommencé à le faire et de façon très régulière. Presque à tous les soirs. Parfois, il manque même des journées de travail. Arthur se rend souvent à l'Hôtel Saint-Roch. Il y a là de l'atmosphère, des filles de joie, de l'alcool à flot. L'établissement est géré par la grande Catherine qui est toute heureuse d'accueillir Arthur, un homme originaire du village de Saint-Irénée.

Arthur ne se prive de rien. Pas plus des filles de joie que du bon gin. Il continue néanmoins à voir Lucille les fins de semaine comme si de rien n'était. Il se sent un peu tricheur et se rend compte de plus en plus que le mariage n'est pas vraiment fait pour lui. La date des noces est pourtant confirmée pour le premier samedi de février. Lucille Jenkins ne tient plus en place. Elle a tellement hâte. Mais Arthur continue de boire chaque soir. Le matin des noces, il n'est pas à Lévis. Robert Jenkins est furieux, surtout qu'il se doutait de quelque chose depuis des semaines. En effet, la direction lui avait fait part des absences au travail d'Arthur et du fait que l'on songeait à le congédier.

Il n'avait pas pris cela au sérieux mais maintenant, il voit bien que tout était vrai et qu'Arthur a certainement recommencé à boire.

Lucille pleure à chaudes larmes. Sa belle histoire d'amour s'effondre et elle aussi. Elle pense que c'est la fin de sa vie. Elle crie, elle pleure, elle n'espère plus la venue d'Arthur. Robert Jenkins se rend dès lors à Québec. Il entend bien faire connaître son mécontentement à Arthur. Ce dernier n'est pas à sa chambre de la rue Saint-Joseph. La propriétaire lui signale que, sans doute, il est encore à l'Hôtel Saint-Roch où il séjourne plus souvent qu'à sa chambre. Arrivé à cet hôtel plutôt mal famé, Robert Jenkins aperçoit la grande Catherine à la réception. Celle-ci lui réserve un de ses plus beaux sourires mais lui n'a pas le cœur à rire :

— Connaissez-vous un certain Arthur Gauthier ?

— Arthur de Saint-Irénée ? Ah oui ! il est ici… Vous n'êtes pas de la police ?

— Non…

Arthur est à la chambre 202. Avec une grosse brune qui ingurgite du whisky avec autant de rage qu'un homme. Elle est complètement saoule et Arthur aussi. Robert Jenkins ouvre la porte qui n'était même pas barrée. La grosse brune déguerpit sans demander son reste. Arthur, complètement grisé par l'alcool, ne sait même pas à qui il a affaire. Robert Jenkins le prend par le collet et le soulève au bout de ses bras :

– Mon salaud, tu as brisé le mariage de ma fille mais tu ne reviendras plus de sitôt !

Il traîne Arthur jusqu'à la gare et lui prend un billet pour Saint-Irénée. Le chef de gare se montrant un peu hésitant vu l'état de ce passager, Robert Jenkins lui dit de ne pas s'inquiéter, qu'il cuvera sa cuite tout le long du voyage. De fait, Arthur ne se réveilla qu'à la gare de Saint-Irénée où John Cameron lui commande de sortir, car il est maintenant arrivé à destination. Arthur ne fait que quelques pas le long de la gare avant de s'effondrer dans le froid vif de février. Et c'est là qu'Eudore l'a trouvé.

L'abbé Joseph-Octave Perron n'a jamais voulu quitter Saint-Irénée et n'a jamais pu accepter son renvoi comme curé de la paroisse, même à la suite du terrible scandale engendré par Eudore Boutin. Il a donc décidé d'établir domicile dans une maison du village située toute proche du magasin général d'Ernest le Lièvre. Il y a installé la succursale de la Banque Canadienne dont il est le responsable. Régina Murray, sa ménagère, habite toujours avec lui et s'occupe encore de l'administration de la Banque. Les affaires vont bien. Les habitants de Saint-Irénée viennent déposer en grand nombre, surtout qu'ils gagnent plus d'argent qu'autrefois grâce à la présence de nombreux villégiateurs durant la période estivale.

L'abbé Perron demeure toutefois en retrait et presque personne ne vient le visiter. Au début, il avait souhaité continuer à dire sa messe quotidienne à l'église. Le curé Gravel accepta mais il commença à changer la décoration intérieure de l'église, ce que l'abbé Perron ne pouvait accepter. Un de ces jours, sous le coup de la colère, il déchira le rideau or placé par son successeur dans la sacristie. Comment cet idiot pouvait-il avoir si peu de goût ?

À la suite de cet incident, le curé Gravel demanda à l'abbé Perron de ne plus venir à l'église. Ce dernier se moqua de l'interdiction et ne manqua pas de continuer à dire sa messe au temple paroissial. Finalement, à la demande du curé Gravel, Ligori Tremblay, le bedeau de la paroisse, se chargea de faire sortir le curé Perron de l'église. Le jeune homme avait usé de gestes plutôt brutaux en repoussant fortement l'ancien pasteur à l'extérieur de l'église. Le curé Perron avait voulu lui tenir tête mais, de guerre lasse, s'était décidé à célébrer sa messe à sa résidence où il avait aménagé une petite chapelle.

Les premiers temps, personne du village ne venait assister à sa messe. Puis, peu à peu, certains anciens se sont mis à s'y rendre chaque jour. Peu de personnes, en fait, quelques voisins, et encore, pas tous les jours. Depuis quelque temps, toutefois, de plus en plus de paroissiens assistent à la messe de l'abbé Perron. Beaucoup d'entre eux ont peur des terribles événements causés par la petite Gabrielle Tremblay. Certains doutent désormais du curé Gravel qui semble trop faible pour affronter le malin. Ils croient que seul le curé Perron y peut quelque chose.

C'est le cas de Gilbert Bouchard venu ce matin et qui insiste pour que l'abbé Perron intervienne pour s'assurer que le diable sorte de la paroisse. Le curé Perron ne dit pas non. Il pense depuis longtemps que les paroissiens vont finir par souhaiter son retour comme curé de Saint-Irénée. Son intervention face à Gabrielle Tremblay pourrait-elle lui permettre de retrouver son ancien poste?

Il n'en est pas certain, les autorités diocésaines sont encore très fâchées contre lui. L'Évêque de Chicoutimi lui a demandé clairement de quitter Saint-Irénée et a dit souhaiter que l'abbé Perron occupe une fonction d'aumônier auprès d'une communauté religieuse de Chicoutimi. Mais l'ancien curé de Saint-Irénée a toujours refusé cette offre qu'il juge ridicule. Il veut regagner son poste. Retrouver sa crédibilité auprès des paroissiens de Saint-Irénée.

Cette histoire de possession diabolique le fait sourire. Il sait depuis longtemps que le diable, et probablement Dieu aussi, n'existent pas. Là n'est pas la question. Il suffit d'avoir simplement de l'autorité et la population inculte et sans culture de Saint-Irénée ne peut que suivre et admirer son ancien curé. Sûr de lui, l'abbé Perron hésite de moins en moins : il se rendra bientôt chez les Tourtes afin de faire cesser les sortilèges de cette enfant perdue.

Arthur Gauthier devient officiellement le chef de gare de Saint-Irénée, la compagnie ferroviaire ayant considéré favorablement sa candidature. Une seule exigence demeure : Arthur devra éviter la boisson. Une promesse qu'il entend tenir. Il s'est même inscrit à un mouvement de tempérance de la paroisse. Il est temps, se dit-il, qu'il abandonne cette mauvaise habitude. Il sait fort bien que ce ne sera pas facile mais, pour un temps, le poste de chef de gare lui convient parfaitement.

En même temps, Arthur ne croit pas qu'il pourra occuper ce poste toute sa vie. L'esprit d'aventure est trop fort en lui pour qu'il s'établisse définitivement à Saint-Irénée. Aussi a-t-il demandé à Eudore Boutin d'agir comme assistant chef de gare. Le gros bonhomme, malgré sa mauvaise réputation, reste sans aucun doute le candidat idéal pour lui succéder le jour où il choisira de partir à nouveau de Saint-Irénée. Même si ce ne sera pas pour demain.

Arthur a pris chambre et pension chez Eudore. Thérèse est tellement heureuse qu'Arthur réside chez elle, d'autant plus que cela la sécurise face au petit Démétrius qu'Eudore couvait trop. Maintenant qu'Eudore est occupé, il a moins de temps pour le petit. Bien sûr, Eudore ne reçoit pas de salaire pour son travail, mais il prend cette fonction d'assistant très à cœur. Et puis, la pension que paie Arthur est généreuse et Démétrius s'est déjà attaché à lui.

John Cameron a, quant à lui, quitté la paroisse depuis quelques jours déjà, en direction de Montréal. Un peu à regret. Il se promet bien de revenir à Saint-Irénée avant longtemps. Pour pêcher ou chasser. Mais pas pour y rester. Il a aussi fait une promesse à Arthur Gauthier qu'il entend bien tenir : Arthur lui a demandé de retrouver sa sœur Clara qui séjourne dans un hôpital à Montréal et de la ramener à Saint-Irénée. Pour la décider à revenir, selon Arthur, ce sera facile : il suffit de lui dire que l'Italien, son grand amour, réside maintenant dans les environs de Saint-Irénée.

John Cameron a accepté ce mandat un peu étonnant. Arthur lui ayant rendu un fier service en prenant le poste de chef de gare, alors pourquoi ne pas retrouver sa sœur s'il le peut. Malgré son attachement envers Saint-Irénée, il ne pouvait être question pour John Cameron de demeurer plus longtemps dans ce village, ayant trop envie de retrouver Montréal et aussi ses études à l'Université en administration.

⁓

Depuis son retour à Saint-Irénée, Arthur n'a pas communiqué avec son père. Non pas qu'il soit en froid avec lui, mais l'occasion ne s'est pas vraiment présentée. Il préfère se faire discret et ne veut surtout pas retourner à la maison du rang de Terre-Bonne et être obligé de travailler sur la maudite terre de roches familiale. Le Père Ti-Boise a pourtant appris bien vite la présence d'Arthur au village. Il y a tellement de personnes peu discrètes dans cette localité.

Au début, il s'est dit qu'Arthur allait finir par venir le voir et que cela ne saurait tarder. Puis la situation à la maison n'étant pas facile, le Père Ti-Boise a eu d'autres préoccupations. En fait, Euclide a travaillé presque tout l'hiver à un chantier pour la construction d'une goélette à La Malbaie. Il pensionne là-bas et n'est presque jamais venu voir sa femme depuis le mois de janvier. Nous sommes maintenant fin mars et le printemps s'annonce. Blanche, qui est enceinte, reste d'humeur massacrante. Elle maugrée et se fâche pour un rien. Elle malmène souvent Nicolas et le Père Ti-Boise doit sans cesse intervenir, ce qui le préoccupe beaucoup.

Toutefois, la situation de son fils Arthur devient clairement scandaleuse. Il habite chez Eudore Boutin, avec un couple marié, au mépris de la moralité publique. Bien des villageois de Saint-Irénée se disent choqués par cette situation. Le curé Gravel ne dit pourtant pas un mot. Il n'est pas comme l'ancien curé Perron qui aurait réagi depuis longtemps. N'empêche que le Père Ti-Boise souhaite maintenant rencontrer son fils. Il va se rendre au village pour le voir d'ici quelques jours. Il faut qu'Arthur revienne à la maison paternelle. C'est encore là bien du souci pour le Père Ti-Boise dont les enfants ne sont décidément pas faciles à comprendre. Si rebelles. Il ne sait trop d'où cela vient. Peut-être des ancêtres. Il faudrait voir. Il ne comprend pas.

En fait, le Père Ti-Boise ne s'inquiète pas pour rien, les bonnes mœurs n'ayant jamais été l'affaire de son fils Arthur. Depuis son installation à Saint-Irénée, le nouveau chef de gare multiplie les aventures avec les belles « créatures » du village. Aussi avec les visiteuses occasionnelles qui séjournent au nouvel Hôtel Charlevoix établi près de la grève, non loin de la gare. Arthur possède un charme certain qui ne laisse indifférente aucune femme des environs et même de plus loin. Il affiche une joie de vivre et plus encore un entrain pour le moins irrésistible. Aucune des femmes qui a retenu son attention ne s'est jamais plainte de l'étreinte de ce cavalier « plutôt bien pourvu » et dont la réputation locale ne cesse de s'accroître.

Une femme de Baie-Saint-Paul est récemment venue en train pour rencontrer le jeune chef de gare de Saint-Irénée. Une veuve, semble-t-il. Elle semblait ravie de son séjour de quelques jours à Saint-Irénée. Même Eudore avait pu constater les caractéristiques physiques remarquables d'Arthur. Il préfère les hommes plus jeunes, bien sûr, mais Arthur, quand même, ne le laisse pas indifférent…

C'est le cas aussi de Thérèse qui a commencé une relation assez chaude avec Arthur. Rien de comparable, toutefois, à celle vécue avec Démétrius. Pas question d'amour avec Arthur. Par contre, Thérèse n'a aucune hésitation à profiter de la présence d'Arthur à la maison : durant l'après-midi, alors qu'Eudore s'occupe de la gare ; le matin, en vitesse, si Arthur est bien disposé pour le faire ;

durant la nuit si, parfois, Thérèse a un peu froid.
Arthur semble toujours prêt. Eudore s'en moque :
Thérèse ne l'a jamais intéressé. Il est bien content,
au fond, qu'Arthur s'occupe de la divertir un peu,
ce qui la rend moins agressive avec lui. Mais
voilà, Eudore se demande tout de même où Arthur
trouve toute cette énergie :

— Plus de boisson, Eudore, alors il faut bien
compenser et puis je suis encore jeune et en
forme. Et les femmes sont si belles…

— Les femmes, les femmes, dit Eudore, qu'est-
ce que tu leur fais pour qu'elles t'aiment autant ?

— Il faut savoir les prendre, Eudore, et de
toutes les façons. Devant ou même derrière,
comme tu le faisais avec tes enfants de chœur…

Eudore ressent un profond dégoût. Par derrière ? Avec des femmes ?

— Pas avec Thérèse, toujours, Arthur…

Ce dernier rit de bon cœur :

— Thérèse est chaude, Eudore, tu manques
quelque chose…

Avec Thérèse ? Eudore ose à peine imaginer
cela… Cette vieille fille débauchée par un Italien
serait-elle devenue une vraie vicieuse grâce à
Arthur ? Mais, par derrière ou par devant, avec
elle, quelle chose dégoûtante, tout de même, se
dit Eudore !

9

L'abbé Perron n'a pas revu les sœurs Clarilda et Marilda Tremblay depuis qu'il a quitté la cure de Saint-Irénée. Les demoiselles sont demeurées fidèles au nouveau curé et pas question pour elles de se rendre entendre la messe à la chapelle aménagée par l'abbé Perron. Néanmoins, l'abbé Perron se rend chez les Tourtes sans aucune hésitation et il frappe sans aucune gêne à la porte de leur maison. Les demoiselles hésitent quelque peu. Disent que l'abbé Perron n'est plus curé et qu'elles ne veulent rien savoir de lui. Elles en ont peur, en fait. L'abbé Perron se fait insistant et force leur porte. Les deux sœurs n'ont d'autre choix que de le laisser entrer.

Par politesse, les deux Tourtes offrent le thé à cet homme imposant qui reste, après tout, un prêtre de l'Église catholique. Gabrielle se berce dans sa chambre et on l'entend fredonner une chanson dont les paroles semblent dépourvues de sens. Un langage incohérent. Une langue diabolique ?

L'abbé Perron ne s'en soucie pas et boit son thé lentement. Les demoiselles précisent que les «phénomènes» sont moins fréquents depuis quelque temps, qu'il vaut peut-être mieux laisser la petite tranquille.

L'abbé Perron n'est pas d'accord. Il entend régler ce problème et même si les Tourtes tentent de l'en dissuader, il s'élance d'un pas vif vers l'étage. Il ouvre la porte de la chambre où se trouve Gabrielle. Celle-ci ne semble nullement agressive. Même qu'elle lui sourit. L'abbé Perron se propose de la saisir à-bras le corps et de la ramener chez elle dans le rang Saint-Louis. Avant qu'il puisse agir, Gabrielle l'interpelle d'une voix rauque:

— Joseph-Octave Perron, je n'ai pas peur de toi…

— Qui êtes-vous? crie l'abbé Perron…

— Tu ne peux rien contre moi, je sais que tu fais partie de moi…

— Est-ce toi, Satan?

— Je suis ce que je suis et tu me connais bien. Pars d'ici, tu es avec moi, pas contre moi…

La voix rauque se fait de plus en plus inquiétante. L'abbé Perron tressaille. Aurait-il part tant que cela avec Lucifer…?

— Tu ne peux rien contre moi, répète la voix devenue gutturale, tu es avec moi…

L'abbé Perron quitte précipitamment la maison des Tourtes. Serait-il devenu un allié de Satan sans s'en rendre compte? Il aurait pu, de ce pas, se rendre prier à sa chapelle pour en demander grâce à Dieu. Il ne le fait pas. Il ingurgite plutôt une bonne rasade de ce vin français qu'il garde précieusement depuis des semaines. Grâce à la venue du train, il est désormais facile de se faire livrer de belles bouteilles d'alcool à la gare, ce dont l'abbé Perron ne se prive pas. Dieu ou diable, il ne veut pas penser à cela. Cette petite n'est peut-être pas si diabolique qu'il y paraît. Peut-être tout simplement moins stupide que la majorité des gens d'ici. Voilà tout. C'est finalement ce que retient l'abbé Perron de son rapide passage à la maison des Tourtes.

À La Malbaie, la rue principale se nomme Saint-Étienne, comme le patron religieux de la paroisse catholique. Ici, tout le monde est catholique ou presque. Autrefois, le seigneur écossais du lieu, le sinistre John Nairne, de foi protestante, avait voulu convertir la population à cette religion des conquérants anglais mais personne ne l'avait suivi. Tout le monde adhère aveuglément à la foi catholique, et la belle église du village date déjà de plus de cent ans.

La Malbaie s'impose aussi comme le chef-lieu de la région. Sur la rue Saint-Étienne, il y a des commerces de diverses spécialités et même des bureaux de professionnels. Celui de l'avocat Raymond Morin est bien connu. Le plaideur s'est bâti une solide réputation au Palais de justice de La Malbaie et il ne manque pas de clientèle. Comme les gens de la région sont chicaniers, ils n'hésitent pas à se lancer dans de longs procès inutiles et bien souvent pour des vétilles. Cela ne permet toutefois pas à l'avocat Raymond Morin de rouler sur l'or. Le règlement du paiement des causes n'est pas toujours facile à obtenir auprès de ces paysans souvent obtus et ne voulant pas trop dépenser leur argent.

Ce n'est pas par cette pratique que l'avocat Raymond Morin est devenu riche ou presque. C'est plutôt en faisant des affaires avec les villégiateurs de La Malbaie dans le domaine de la spéculation foncière, soit en achetant des terrains à des prix minables à des habitants d'ici pour les revendre chèrement à des villégiateurs fortunés et venus d'ailleurs. Ou encore en prélevant des sommes auprès d'entrepreneurs intéressés à construire des résidences à ces mêmes villégiateurs.

C'est que l'avocat Raymond Morin est bien positionné sur le plan politique. Il est maire de la municipalité et organisateur en chef du Parti libéral provincial et fédéral depuis de nombreuses années. Le patronage local passe par lui. Dans les faits, il brasse des affaires qui ne sont pas toujours catholiques. Ce célibataire endurci semble d'ailleurs consacrer une grande partie de sa vie aux intrigues politiques. Son rêve est de devenir député fédéral de Charlevoix et non pas député provincial, un niveau politique qu'il considère comme inférieur. Mais il ne peut réaliser son projet pour le moment à cause de Pierre Casgrain, l'actuel député fédéral de la circonscription.

Ce dernier est le plus souvent absent de la région. Il n'y vient, en somme, que pour les campagnes électorales. Comme Casgrain est le gendre du regretté député Rodolphe Forget, il est toujours facilement réélu. Tout cela finira bien par finir un jour. Pierre Casgrain souhaite se faire nommer juge et advenant qu'il y parvenait, Raymond Morin pourrait enfin réaliser son rêve et devenir député fédéral et même ministre, pourquoi pas ? Ce poste prestigieux de ministre, qui a toujours échappé à Pierre Casgrain, lui, il l'obtiendra.

Raymond Morin ne craint rien. Si un problème se présente, il sait toujours quoi faire. Son homme de main pour les basses besognes demeure Raoul Girard de la route de Sable. C'est pour cette raison que tout le monde a appris à craindre Raymond Morin. C'est aussi pour cette même raison que

Raoul Girard, toujours en train d'enfreindre la loi, demeure impuni jusqu'à ce jour, grâce à la protection assurée par l'avocat Morin.

＝

Ce matin, Arthur Gauthier a reçu une lettre enflammée de Lucille Jenkins. Il l'a lue et relue. Il faut bien le reconnaître : Arthur est un romantique qui ne veut pas s'attacher. Les mots de Lucille lui font comprendre qu'elle lui pardonne son manque de classe et sa faiblesse. Ce qui le réconforte un peu. Il sait qu'elle aurait fait une bonne épouse mais que lui ne fera jamais un bon mari. C'est comme ça et pas autrement.

Lévis, 4 avril 1923

Mon cher Arthur,
Je ne te dis pas toute la peine que tu m'as faite. J'ai tellement pleuré que j'en avais le cœur vidé ou presque. Moi, je te faisais tellement confiance. Je t'aimais tellement. Je t'aime encore. Arthur, avec tes beaux cheveux blonds, ton visage si tendre, tu as pris mon cœur. Jamais je ne pourrai épouser un autre homme que toi. Et puis je sais bien qu'il ne s'en présentera plus. Tu as été bien

généreux de t'intéresser à moi, de me faire rêver d'une vie autre que celle de la vieille fille que je suis. Toi qui es si vivant, et moi qui ne fais que survivre, au fond. Tu sais, j'aurais voulu être comme toi. Au-delà de toutes les conventions. Mais je suis une fille de petit-bourgeois, instruite, retenue, sérieuse. Je ne parviens pas à rire souvent mais avec toi, je le pouvais. Arthur, les heures passées avec toi m'ont permis de croire au bonheur. C'est déjà beaucoup de savoir que le bonheur est possible. Le perdre est certainement cruel mais personne n'est maître des choses de la vie. Je t'aime, Arthur. Je t'aimerai toujours. Je retournerai à ma vie routinière. J'apprendrai à me passer de toi. Je ne sais pas si tu es heureux de ton côté. Sincèrement, je te le souhaite. Je ne t'en veux pas. Va sur ton chemin à toi et moi je continuerai aussi de vivre. Je voulais simplement te dire que je ne regrette rien et ne sois pas inquiet car tu n'as rien à te reprocher. Je te demande de penser à moi quelquefois et moi, tu le sais bien, je ne cesserai pas de penser à toi. Mon bel Arthur, mon bel amour.

Celle qui demeure ton amie pour toujours,

Lucille Jenkins

Il y a beaucoup d'activités à la gare de Saint-Irénée depuis quelques semaines. La reprise de la production à l'usine de pâte de la Chute Nairne entraîne de nombreuses livraisons de bois. C'est François-Xavier Fournier, un ancien employé de Rodolphe Forget, qui gère cette usine en pleine expansion désormais propriété des frères Donohue, des hommes d'affaires d'origine irlandaise qui ont acquis les actions de la compagnie du défunt millionnaire. Il y a aussi beaucoup de livraisons pour les villageois : des achats par catalogue notamment, des vêtements surtout. Les dames de la région sont plus à la mode que jamais depuis que le train circule dans Charlevoix.

Pourtant, les touristes paraissent peu enclins à favoriser la voie ferroviaire, lui préférant plutôt les beaux bateaux blancs de la Croisière du Saguenay ou se servant de leurs propres automobiles même si les routes de Charlevoix restent encore difficilement praticables. Il est loin le temps où Rodolphe Forget était le seul à circuler en automobile dans la région.

Ce matin, un prêtre d'allure plutôt débonnaire arrive par train à la gare de Saint-Irénée. C'est un Français ou du moins parle-t-il avec un accent qui trahit des origines de la « vieille France ». Il se présente comme étant l'abbé Léon Marcel du Diocèse de Chicoutimi et il veut se rendre au presbytère de Saint-Irénée. Il se plaint de son long voyage en train depuis Chicoutimi avec transfert à Québec. Il trouve le paysage de Charlevoix fort impressionnant mais tout de même un peu rugueux, à son avis. Arthur demande à Eudore d'aller reconduire l'abbé Marcel en calèche jusqu'au presbytère. Même si Eudore se méfie des prêtres depuis qu'il n'est plus bedeau de la paroisse et surtout depuis sa condamnation judiciaire, il accepte quand même. L'abbé Marcel, un homme d'une carrure imposante, fait fortement pencher la calèche lorsqu'il tente de s'y asseoir. Et voilà qu'il s'inquiète des côtes impressionnantes qui se profilent devant lui. Il demande à Eudore si ce n'est pas risqué et ce dernier s'empresse de le rassurer:

— Personne d'icitte, monsieur l'abbé, ne s'est jamais plaint de ces côtes-là...

Cette belle assurance ne rassure pas tant que cela l'abbé Marcel qui fait le signe de la croix avant de partir. Vaut mieux être plus prudent que moins dans ce pays où le diable paraît faire des ravages et qu'on dirait presque sculpté de sa main tant il est accidenté.

Blanche vient de mettre au monde une fille qui porte le prénom d'Irène. L'enfant est en bonne santé. Blanche est rassurée. Même si leur vie de couple n'est pas des plus faciles, elle en est néanmoins arrivée à aimer Euclide. Elle entend bien, toutefois, continuer à lui tenir tête. Blanche ne sera jamais de sa vie une femme soumise.

Euclide pense différemment. Il aurait davantage apprécié que Blanche mette au monde un garçon et ne perd pas de temps à faire sentir à Blanche que la venue d'Irène ne lui plaît pas tant que ça. Conséquemment, Euclide se rapproche davantage de son fils Nicolas. Il développe une affection de plus en plus sentie pour ce fils né de son premier mariage avec la belle Marie-Anne. Euclide en vient même à idéaliser Marie-Anne, le grand amour de sa vie. En plus, Nicolas ressemble beaucoup à sa mère. Désormais âgé de cinq ans, Nicolas est bien conscient que son père lui accorde davantage d'attention et qu'il lui parle de plus en plus souvent de sa mère.

Nicolas n'aime pas beaucoup sa belle-mère. Et Blanche le lui rend bien, elle qui en est venue à détester cet enfant, jugeant que c'est Nicolas qui la sépare d'Euclide, que c'est Nicolas qui ramène à la mémoire de son mari le souvenir de cette première épouse qu'il a tant aimée. Inévitablement, Nicolas devient le sujet de disputes de plus en plus fréquentes entre Blanche et Euclide.

En cet été 1923, Euclide va travailler à la construction de la maison du maire de Saint-Irénée, l'homme d'affaires Jos. Trudel. C'est là un très important chantier. Jos. Trudel est l'héritier d'une belle fortune familiale, acquise par son père et son grand-père notamment dans des contrats de voirie. Le maire veut impressionner la population de Saint-Irénée avec sa nouvelle maison au cœur du village. Elle sera très grande. Euclide aura de l'ouvrage pour l'été. Blanche lui reproche d'abandonner encore la terre familiale à son père qui n'est plus très jeune. Euclide se fâche : la terre, il s'en moque. Il veut faire de l'argent en travaillant à la construction de magnifiques résidences avec des plans d'architectes modernes. Comme ceux élaborés par l'architecte Jean-Charles Warren de La Malbaie à partir de modèles américains. L'architecte Warren veut d'ailleurs qu'Euclide travaille avec lui. Il pourrait alors œuvrer dans la construction de résidences estivales pour les villégiateurs américains sur le boulevard des Falaises à Pointe au Pic, non loin du Manoir Richelieu.

Euclide ne veut plus rien savoir des vieilles maisons d'habitants. Rien savoir non plus de la terre paternelle. Et aussi ne rien savoir de la petite Irène qui est pourtant jolie, mais qui ressemble déjà tellement à Blanche. Il fait en sorte de s'éloigner encore davantage de la maison paternelle. Son mariage avec Blanche lui semble le plus souvent insupportable. Il n'en peut plus de son père aussi et de ses traditions anciennes. La terre n'est plus bonne à rien, pense Euclide. Il faut

moderniser tout ça. Construire du neuf. Voir au-
delà de l'héritage ancien. Tout briser s'il le faut.
Ou encore s'éloigner pour ne plus rien voir de
tout cela. Pour voir plutôt l'avenir qui s'érige
déjà ailleurs plutôt qu'ici.

Euclide va rester en pension au village pour
une grande partie de l'été alors que Blanche va
demeurer seule avec le Père Ti-Boise et les enfants. Voilà qui est mieux ainsi, se dit Euclide en
préparant déjà ses outils de bois qu'il a fabriqués
lui-même pour une saison estivale consacrée entièrement à son travail de menuisier.

Pour le moment, le Père Ti-Boise ne se soucie pas autrement des problèmes d'Euclide et de
Blanche. Il croit dur comme fer que la venue de la
petite Irène va unir davantage le couple. Et puis
il y aura d'autres enfants qui viendront. Le bon
Dieu le voudra, pense le Père Ti-Boise. Ce sera
bien ainsi.

Non, c'est plutôt le cas de son fils Arthur qui
l'inquiète. Plus de trois mois après son arrivée au
village, Arthur n'a toujours pas donné signe de
vie à son père qui est fort déçu de cette attitude.
Aussi, en ce beau matin de juin, le Père Ti-Boise
a attelé sa jument et il se dirige vers le village
alors qu'habituellement, il ne s'y rend que le dimanche pour aller entendre la messe à l'église.

Arthur n'est jamais venu assister à la messe
depuis son retour à Saint-Irénée et il réside toujours

chez Eudore Boutin, ce triste personnage jugé tant par la loi des hommes que par celle de Dieu. Arthur conterait aussi fleurette à plusieurs filles et même à des dames. Même à Thérèse, la malheureuse épouse d'Eudore. Quel scandale! Quel déshonneur! Le Père Ti-Boise arrive à la maison d'Eudore mais Arthur n'y est pas. Thérèse Boutin lui dit qu'il se trouve plutôt à la gare. Le Père Ti-Boise a aussi appris qu'Arthur est maintenant chef de gare et c'est cela qui déplaît le plus au Père Ti-Boise qui veut que son fils revienne travailler avec lui sur la terre. Arthur est bien là et salue son père avec effusion. Ce dernier a plutôt une mine sinistre en débarquant de sa calèche. Il s'empresse de faire part de ses inquiétudes à son fils qui est seul à la gare:

– Pourquoi que t'es pas venu voir ton père, Arthur?

– C'est pas par malice, le père, je serais venu tôt ou tard…

– C'est pas des réponses, ça, Arthur, puis ton devoir de chrétien au moins: «Père et mère tu honoreras» …

– Je m'excuse, le Père, vous savez ben que je vous aime ben…

Il prend son père dans ses bras et lui fait ensuite visiter la gare. Bientôt, le train arrive. Aujourd'hui, il y a plusieurs livraisons et quelques voyageurs. L'un d'entre eux est à l'emploi du

Canadien National et il félicite Arthur pour son bon travail depuis qu'il est chef de gare à Saint-Irénée.

Le Père Ti-Boise est impressionné. Ce serait donc un emploi acceptable que celui de chef de gare... Arthur y paraît bien à sa place. Il est habile, Arthur, il a su déjà mettre son père de son côté. La terre, ce n'est pas pour lui, il pourra toutefois aller aider durant la période de la récolte des foins. Eudore le remplacera à la gare. Bien sûr, Arthur ne peut pas résider à la maison paternelle car c'est trop loin du village. Le Père Ti-Boise en convient. Mais les bonnes mœurs... demeurer chez un couple marié... les gens du village jasent. Peu importe, répète Arthur, tout cela est temporaire, il va s'installer ailleurs bientôt.

Arthur suggère plutôt à son père de demander à Philippe, un de ses fils qui réside à Coaticook dans les Cantons de l'Est, de venir l'aider sur la terre. Philippe n'est pas encore marié et il viendrait sûrement aider son père. Le Père Ti-Boise se dit qu'Arthur a sans doute raison, au fond. Il écrira à Philippe. Il retourne à la maison du rang de Terre-Bonne presque rassuré, après avoir pris une petite rasade de gin proposée par Arthur.

Le Père Ti-Boise en est presque de bonne humeur. Il juge toujours que la situation actuelle d'Arthur n'est pas idéale, mais il se rassure en se disant que cela est temporaire. Arthur lui a aussi dit qu'il a demandé à John Cameron de rechercher Clara à Montréal. Le Père Ti-Boise pense qu'en effet, il serait temps d'en savoir plus sur sa fille qui ne donne presque plus jamais de nouvelles. Pour le reste, il est encore capable de travailler, se dit-il. Il croit sincèrement que son fils Philippe ne restera pas sourd à son appel. Ses enfants sont bons, tente-t-il de se convaincre. C'est que le diable travaille en eux, comme il le fait en toute personne. Et, à Saint-Irénée, le diable paraît travailler très fort, pense le Père Ti-Boise en passant devant la résidence des Tourtes qui paraît pourtant paisible en cette fin d'après-midi de juin.

10

près seulement deux jours au presbytère de Saint-Irénée, l'abbé Léon Marcel n'en peut plus. Il a bien lu tout le dossier rédigé par le curé Gravel au sujet de Gabrielle Tremblay, mais tout cela l'ennuie au plus haut point. Non, mais faut-il qu'une population soit dans un tel état d'ignorance pour tant se préoccuper des agissements d'une petite idiote en mal d'attention ! Théologien reconnu, professeur au Séminaire de Chicoutimi, auteur d'un traité publié par les autorités diocésaines intitulé *Le diable autour de nous : une description pastorale* qui a connu une bonne diffusion chez les membres du clergé local, l'abbé Marcel ne voit rien de bien malin dans cette histoire.

D'abord, pour lui, le diable ne surgit pas partout et encore, pourquoi le ferait-il ici, dans une bourgade si servilement catholique ? Le diable n'a pas intérêt, pense l'abbé Marcel, à se préoccuper d'âmes aussi pauvrement dotées sur le plan intellectuel, comme celles des paroissiens de Saint-Irénée. Le diable se vautre plutôt, si vraiment il agit quelque part, dans le modernisme des villes et, selon l'avis bien personnel de l'abbé Marcel dont il ne parle aucunement dans son traité, il a bien raison de le faire plutôt que de séjourner dans une paroisse aussi ennuyeuse que Saint-Irénée. Il n'y a rien ici de bien intéressant, ni pour le diable ni pour l'abbé Marcel.

Le curé Gravel n'ayant ni ménagère ni cuisinière, il se concocte lui-même d'affreuses soupes aux légumes à peine comestibles, si bien que l'abbé Marcel n'a presque rien mangé depuis son arrivée au presbytère. Le curé Gravel voudrait qu'il rencontre la petite mais cela n'est pas si important, pense l'abbé Marcel. Ce n'est qu'une enfant un peu rebelle, après tout, et comment ne pas être rebelle dans une paroisse où il ne semble même pas se trouver une bonne bouteille de vin. Pour un prêtre d'origine française comme l'abbé Marcel, quel sacrilège. Le curé Gravel n'offre qu'un vulgaire vin de messe sans aucun goût, qu'il coupe outrageusement avec de l'eau. Quelle horreur! Où trouver une bonne bouteille de vin à Saint-Irénée? Il demande à Ligori Tremblay, bedeau de la paroisse, qui se montre formel sur la question :

— Il n'y a qu'une seule place, monsieur l'abbé, où il y a du bon vin dans la paroisse et c'est chez l'abbé Perron...

– L'abbé Perron? Il y a donc un autre prêtre qui réside dans cette minuscule paroisse d'à peine 800 habitants?

– Oui, il est retraité. Il fait venir par le train de bonnes bouteilles de vin français de la ville, mais personne d'autre que lui n'en boit, par exemple.

– Du vin français? Je veux aller rencontrer ce prêtre. Où réside-t-il?

– C'est pas loin, juste en face, à côté du magasin, là où se trouve la Banque.

– Une Banque dans ce coin perdu? Je me rends de ce pas chez l'abbé Perron.

– Il ne vous recevra peut-être pas. Il ne reçoit personne ou presque. Mais c'est vrai que vous êtes un prêtre.

– Oui et un prêtre assoiffé. Il me recevra bien.

L'abbé Marcel prend sa valise et se dirige sans plus tarder chez l'abbé Perron. Le curé Gravel, qui fait des confessions à l'église, ne le voit même pas quitter le presbytère. L'abbé Marcel frappe à la porte de l'ancien curé de Saint-Irénée. Ce dernier est soupçonneux et il ne veut pas laisser entrer chez lui ce représentant du Diocèse.

– Je ne veux rien savoir du Diocèse de Chicoutimi, je suis retraité maintenant... Allez-vous-en!

– Laissez-moi entrer, monsieur l'abbé, c'est une question de vie ou de mort...

L'abbé Perron le laisse finalement entrer mais ne l'invite surtout pas à s'asseoir. L'abbé Marcel fait part de son désir de s'installer chez l'abbé Perron pour quelque temps, une requête qui surprend au plus haut point l'abbé Perron qui accepte néanmoins d'écouter les doléances de ce prêtre plutôt singulier.

꧁

Le curé Gravel n'aime pas particulièrement entendre les confessions de ses paroissiens. Tout cela est tellement convenu, habituel. Toujours les mêmes problèmes, en fait : empêchements de famille, désir des femmes de ne plus avoir d'enfants, souvenirs de péchés de la chair d'autrefois chez les plus âgés. Il est bien rare que des hommes viennent se confesser l'après-midi. Même les plus vieux et surtout pas les vrais pécheurs de la paroisse. Ceux-là ne se confessent pas souvent, parfois durant le Carême et encore, certains font des Pâques de renard, c'est-à-dire qu'ils ne se confessent pas à l'occasion de cette grande fête de l'Église catholique. Comment les y résoudre, les y forcer ? Ce n'est pas le style du curé Gravel, il est trop hésitant, peut-être faudrait-il un « sermon » de l'abbé Marcel puisqu'il est présentement de passage dans la paroisse. Ce fameux théologien pourrait peut-être faire peur aux mécréants de cette paroisse. Mais voilà, Ligori Tremblay vient d'informer le curé Gravel que son visiteur diocésain est parti avec sa valise chez l'abbé Perron.

— Et il n'est pas revenu depuis, monsieur le curé...

— Chez l'abbé Perron, mais comment cela est-il possible, il ne le connaît même pas...

— C'est moi qui lui en ait parlé, peut-être que je n'aurais pas dû, monsieur le curé...

Ligori s'inquiète. Il tient à son travail de bedeau. Il ne veut pas perdre sa place.

— Non, non, Ligori, ce n'est pas très important, je vais aller le chercher...

Le curé Gravel se rend chez l'abbé Perron et demande à voir l'abbé Marcel. Régina Murray, la ménagère du curé, lui dit que le prêtre va venir sans tarder. L'abbé Marcel paraît de fort mauvaise humeur :

— Vous ici, je ne retourne pas dans votre satané presbytère, je résiderai ici le temps qu'il me faut pour rencontrer la petite et ne venez plus m'importuner, s'il-vous-plaît.

— L'abbé Perron a renié la voie juste. Il est en disgrâce face aux autorités diocésaines... dit calmement l'abbé Gravel...

— Nenni, rien de cela ne m'intéresse. Retournez à vos ouailles et moi, je reste ici.

L'abbé Marcel referme la porte, se disant que ce curé de campagne est décidément un pauvre type. Heureusement, il a reçu un accueil digne de ce nom chez cet abbé Perron, détenteur de bonnes bouteilles d'un fameux vin français.

L'atmosphère devient vite très joyeuse chez le curé Perron. Le bon vin aidant, en plus du succulent repas préparé par Régina Murray, l'abbé Marcel ne manque pas de tenir une conversation haute en couleur. L'abbé Perron, d'habitude si austère, s'est vite pris d'amitié pour son invité et il s'avère, pour une fois, d'une excellente humeur. Les deux prêtres ne manquent pas de s'entendre sur l'évidence que le curé Gravel n'est pas à la hauteur de sa tâche à Saint-Irénée. Cette paroisse a besoin de la direction ferme d'un prêtre avisé, plutôt que de celle d'un faiblard sans colonne vertébrale.

Voilà bien pourquoi, pensent les nouveaux amis, tout va si mal actuellement à Saint-Irénée. Rougeaud et coquin, l'abbé Marcel remarque aussi les formes généreuses de Régina Murray et il lui en fait compliment. La pauvre n'en revient pas de faire l'objet d'une attention si inattendue de la part d'un prêtre aussi instruit et si important. Elle est de même tout étonnée de la soudaine bonne humeur du curé Perron et préfère aller se coucher, laissant les deux hommes à leur discussion et à leur consommation presque effrénée de vin français.

Le cas de la petite Gabrielle Tremblay retient finalement l'attention de l'abbé Marcel. Il affirme qu'il est de son devoir de la rencontrer, mais il veut le faire ici, chez le curé Perron. Il ne peut être question pour lui de se rendre chez les Tourtes, car la tension entre ses tantes et l'enfant est sans doute responsable, selon lui, des agissements rebelles de la jeune fille. Il demande à l'abbé Perron d'aller, dès demain, chercher la petite chez ses tantes et de la lui amener ici-même afin qu'il puisse l'interroger et voir s'il y a vraiment du diable là-dessous.

Le curé Perron accepte, tout heureux de pouvoir aider son nouvel ami dans sa délicate mission. Toutefois, pour le moment, la discussion porte sur d'autres sujets bien plus intéressants, notamment sur la qualité de ce vin français qu'il convient de consommer à nouveau sans trop de modération puisque la soirée est encore toute jeune et que l'abbé Marcel trouve enfin un peu de plaisir au cours de son séjour dans cet étonnant village de Saint-Irénée.

Tôt le matin, comme à chaque jour, les Tourtes se rendent à l'église paroissiale pour la messe. Le curé Gravel, qui semble préoccupé, demande à leur parler après la cérémonie religieuse. Pour une fois, la sévérité marque ses traits et il se fait un peu cassant :

– Mesdemoiselles, votre curé vous demande de ne pas recevoir à votre maison l'abbé Perron ou encore l'abbé Marcel actuellement en visite dans la paroisse. Il ne faut surtout pas qu'ils voient Gabrielle sans ma permission et je compte sur vous pour vous exécuter en bonnes chrétiennes que vous êtes.

Clarilda et Marilda ne demandent pas mieux que d'obéir au curé de la paroisse, d'autant plus qu'elles n'ont jamais tellement aimé le curé Perron. Elles s'en retournent chez elles, le chapelet à la main, en récitant quelques prières tout au long de leur parcours. Heureux de l'appui des deux demoiselles, le curé Gravel décide de demander à nouveau à l'abbé Marcel de revenir au presbytère dès ce matin et, s'il le faut, de communiquer par téléphone, à l'Évêque lui-même, le malaise que cause son délégué dans la paroisse en n'appréciant que la compagnie d'un prêtre rebelle à l'autorité de l'Église. Le curé Gravel pense même exiger le départ rapide de cet abbé vers Chicoutimi, avant que tout cela en vienne à trop susciter l'attention des paroissiens de Saint-Irénée.

Sans hésitation, l'abbé Perron se rend chez les Tourtes. Ce n'est pas qu'il tient à intervenir à nouveau sur le cas de la petite Gabrielle, mais décidément, cet abbé Marcel lui plaît bien, alors pourquoi ne pas l'aider à accomplir sa mission à Saint-Irénée? Toutefois, les demoiselles ne sont pas du même avis. Elles refusent l'accès de leur résidence à l'abbé Perron, arguant que le curé de la paroisse ne les autorise plus à le recevoir. Mais l'abbé Perron est tenace et il insiste avec fermeté. Clarilda et Marilda demeurant intraitables, il songe presque à s'en retourner chez lui lorsque Gabrielle se présente soudain. Elle est vêtue d'une jolie robe bleue et semble prête à suivre l'abbé Perron:

— Je veux aller chez vous, monsieur l'abbé Perron, il faut que je sorte de cette prison.

Devant ces faits, les deux demoiselles ne protestent plus. Elles ont appris à ne pas s'opposer aux volontés de Gabrielle. Et puis, si la petite veut enfin quitter leur maison, ce n'est pas Clarilda et Marilda qui s'en plaindront. Elle s'en va donc avec l'abbé Perron à la rencontre de ce prêtre venu de Chicoutimi spécialement pour étudier son cas. Gabrielle est souriante, presque paisible, nullement troublée à l'idée de devoir affronter un si savant personnage qui va sans doute tenter, comme les autres, de la confondre. Que lui importe, il faut qu'elle respire, qu'elle vive, elle n'en peut plus d'être mise au rancart, rejetée, presque traquée par tout un village.

L'abbé Perron surveille la petite avec attention : il craint qu'elle tente de se sauver. Pourtant non, elle marche droite, presque fière, la tête haute. Cette Gabrielle a vraiment du caractère pour une jeune fille de par ici, pense l'abbé Perron. Pour peu, il la trouverait remarquable. Il préfère néanmoins retenir son jugement final, l'abbé Marcel saura mieux que lui jauger cette adolescente étrange, à la fois repoussante et attirante, suscitant chez lui tout autant la crainte qu'une certaine forme d'admiration.

⸻

La rencontre entre Gabrielle et l'abbé Marcel n'a rien de dramatique. Le prêtre est d'excellente humeur et il ne cherche pas à opposer quelque critique que ce soit à Gabrielle. Pour lui, il ne saurait être question de brusquer une jeune fille à peine sortie de l'enfance et qui souffre certainement de l'obscurantisme étouffant de ce village oublié de Dieu et assurément aussi par le diable.

– As-tu communié, vas-tu à la messe ?

– Non, je ne crois pas en Dieu.

– D'où vient cette conviction, pauvre petite, tout le monde croit en Dieu par ici...

– Pas moi, je ne crois pas au diable non plus...

– Alors tout ce que l'on te reproche, ces diableries, ces événements dramatiques que tu provoques...

– Rien que de l'imagination, rien que des croyances...

– Serais-tu athée ?

La petite ne connaît pas ce mot. Dans son cœur, elle sait que tout ce qu'elle a vécu découle seulement de sa volonté de partir de Saint-Irénée, de ne plus vivre avec deux vieilles folles par trop dévotes. Elle ne souhaite pas retourner dans son rang de misère natal non plus. Elle veut voir du pays. S'en aller. Tout cela n'est pas si simple, convient l'abbé Marcel. Il faudra peut-être encore du temps. D'ici là, il vaut peut-être mieux pour Gabrielle de s'adoucir, de se faire oublier, de contenir sa rage.

– Veux-tu manger ? demande l'abbé Perron.

La petite ne dit pas non. Elle a faim. L'abbé Marcel, lui, a plutôt soif. Régina les invite à passer à table. Gabrielle affiche de belles manières contrairement aux habitants de par ici et elle avale avec douceur la bonne soupe aux légumes de Régina. Elle sourit presque. L'abbé Perron n'en revient pas. Quel est donc ce miracle accompli par l'abbé Marcel? Gabrielle Tremblay serait-elle désormais apaisée? Après le départ de la petite qui s'en est retournée chez ses tantes à la fin du repas, l'abbé Marcel n'en est pas certain:

— Il faudrait qu'elle réside ailleurs, pas chez ces vieilles bigotes... Et surtout qu'elle ne retourne pas chez son père. Je crois que c'est là, le problème, elle cherche à s'en aller d'ici, mais ce n'est pas si simple pour elle.

— Ce n'est pas moi qui peux y faire quelque chose, cher confrère, dit alors l'abbé Perron en offrant une bonne crème de menthe à son invité...

— Et moi non plus, je n'y peux rien, d'ailleurs je retournerai demain à Chicoutimi. Toutefois, plutôt que votre liqueur, je préférerais encore de votre bon vin français, une trouvaille, vraiment...

L'abbé Perron accepte volontiers de lui en verser un grand verre. Ils boivent ainsi jusqu'à tard dans la nuit et ce n'est qu'après minuit que les deux pasteurs vont finalement dormir, après une belle soirée à rire et à se moquer du diable, tout autant que de Dieu.

Dès le lendemain, sans retourner voir le curé Gravel, l'abbé Léon Marcel prend le train vers

Québec et puis vers Chicoutimi. Le curé de Saint-Irénée ne manque pas de s'étonner de cette situation. L'abbé Marcel, en tant que délégué diocésain, aurait pu lui laisser quelques indications concernant le cas de Gabrielle Tremblay. Rien du tout. Pas un mot. Le curé Gravel a bien tenté de joindre un représentant du Diocèse au téléphone, mais le secrétaire de l'Évêque a été évasif, disant que Monseigneur accorde son entière confiance à l'abbé Marcel dont le jugement spirituel est fort éclairé. Le délégué diocésain a pourtant rencontré la petite et le curé Gravel le sait. Son sacristain, Ligori Tremblay, qui l'a appris d'un voisin de l'abbé Perron, le lui a confirmé. Sans espérer en obtenir grand-chose, le curé Gravel décide de se rendre chez l'abbé Perron afin de tenter d'en savoir plus. L'ancien curé n'est pas très bavard ni très accueillant, comme à son habitude. Il adresse même des reproches au curé Gravel :

— Vous n'êtes pas capable de diriger cette paroisse. Votre faiblesse amène le diable par ici. C'est votre faute…

— Vous êtes injuste, je n'ai pas votre expérience, je suis curé pour la première fois, vous devriez m'aider dans ma tâche.

— Il y a des hommes qui sont faits pour être prêtres et ce n'est pas votre cas…

Le curé Gravel comprend qu'il ne tirera rien de cet entêté et préfère quitter la maison de l'abbé

Perron. N'empêche que la dernière remarque de ce maudit abbé lui a fait de la peine. Il lui en reste une interrogation pressante : et si, vraiment, il n'était pas fait pour être un curé de paroisse et peut-être même pour être un prêtre ?

Toute cette consommation de vin avec l'abbé Marcel a rendu le curé Perron encore plus irascible. C'est Régina, sa ménagère, qui en fait les frais. Il ne cesse de tourner autour d'elle et il lui fait mille reproches. Pourtant, au fond de lui, l'abbé Perron cache des pensées troubles. Depuis sa retraite, il ne travaille plus beaucoup. Il se sent seul et abandonné. Il regrette de ne plus être curé de Saint-Irénée et dans sa tête, tout devient confus et le même désir l'assaille : celui de prendre Régina dans ses bras.

Elle est belle, Régina. Ronde et belle. Ses seins rebondissent de partout et parfois, l'abbé Perron ne voit que cela et le désir monte en lui. Irrépressible. Il pense même parfois à consommer l'acte charnel avec elle. Pourtant, à son âge, l'abbé Perron se disait que cette attirance allait finir par le quitter. Mais non. Plus fort que jamais, son désir de Régina l'obsède, le rend presque fou.

Alors, il dispute pour un rien sa pauvre ménagère. Sa belle Régina.

L'alcool ne doit pas être un refuge. Sans doute attise-t-il encore plus les pensées mauvaises et la concupiscence? L'abbé Perron tentera d'en réduire sa consommation. D'ailleurs, boire seul ne l'intéresse pas. Il a apprécié la présence de cet abbé Marcel, mais celui-ci ne reviendra pas de sitôt dans la paroisse. Et personne ne viendra le voir, sinon quelques vieilles paroissiennes fidèles à sa messe du matin.

L'abbé Perron se sent inutile, d'autant plus titillé par ce désir qui lui monte au corps, par cette obsession qui prend tant de place qu'il ne lui reste plus rien d'autre dans la tête, à tel point qu'il croit parfois en perdre la raison. C'est sans doute ce qui l'attend: la folie. Il ne la craint même pas. Quelquefois, il se dit même qu'il vaudrait mieux pour lui n'importe quelle dérive plutôt que cette vie d'ennui. Le Seigneur l'a donc oublié définitivement? Il est vrai que l'abbé Perron ne s'est pas souvent soucié de Dieu non plus. Faudrait-il alors qu'il s'intéresse un peu plus à barrer la route au diable dans cette paroisse pour retrouver un reste de son ancienne autorité de pasteur? Peut-être bien…

11

Le magasin général d'Ernest le Lièvre déborde d'activités. La clientèle ne manque pas, il en vient même des villages environnants. Le commerçant a donc eu peu de temps pour s'intéresser au cas de la petite Gabrielle, pourtant une parente éloignée dont le père est un cousin d'Ernest Tremblay surnommé le Lièvre en raison de sa capacité à courir très vite. Pas aussi vite qu'Alexis le Trotteur, mais quand même… Comme il avait aussi pris l'habitude de sauter comme un lièvre, le surnom lui est resté.

Tout cela, c'était bien avant qu'il ne parte en affaires. Aujourd'hui, son entreprise est prospère mais ce ne fut pas toujours le cas, surtout au début, avec le magasin général d'Eudore Boutin qui lui faisait concurrence. Mais tout ça est maintenant chose du passé. Ernest le Lièvre a démontré qu'il savait faire des affaires, attirer les gens à lui, ce qui ne fut jamais l'apanage de ce mécréant d'Eudore Boutin. Comme d'autres de la paroisse,

Ernest le Lièvre avait voulu le tuer quand il avait appris ses terribles crimes commis sur les enfants de chœur dont il avait la responsabilité. D'autant plus que son fils Joachim avait peut-être été parmi les victimes du gros Eudore. Mais cela, Ernest le Lièvre ne le sait pas vraiment. Le petit ne veut jamais en discuter avec son père. N'empêche, ce salaud d'Eudore !

En-dehors de ça, la vie d'Ernest le Lièvre suit son cours de façon routinière. Il est le père d'une dizaine de grands enfants, presque des hommes et des femmes maintenant, six filles et quatre garçons. Son épouse Raymonde Labbé vient de Baie-Saint-Paul, mais elle s'est tout de même habituée à vivre à Saint-Irénée sans aucune difficulté. Il n'a rien à dire contre elle, si travaillante et aimante. Bien plus encore, maintenant que le risque que son épouse «parte en famille» n'existe plus. Elle n'avait pas des grossesses faciles et il a souvent craint de la perdre, comme tant d'autres ont perdu leurs femmes pendant ou après un accouchement. Tout ça est maintenant derrière eux.

Ernest le Lièvre est heureux et rien ne saurait le déranger ou, du moins, le croit-il... Le père de Gabrielle vient souvent au magasin et à chaque fois, Ernest le Lièvre lui fait des reproches. Il lui conseille de reprendre sa fille, de faire cesser cette triste histoire. Mais le pauvre idiot n'a aucune volonté. Il est bête comme une bourrique. Il rit comme un enfant, parle de manière incohérente, passe à un autre sujet, semble ne plus avoir aucun intérêt pour sa fille. Ernest le Lièvre préfère s'occuper de ses autres clients. Il n'a pas de temps à perdre. Ce n'est pas lui qui se préoccupera davantage de cette histoire qui continue pourtant d'inquiéter à peu près tout le monde à Saint-Irénée sans qu'aucune solution ne se présente à l'horizon. Ernest le Lièvre laisse parler ses clients sans jamais formuler un quelconque avis sur la question.

L'abbé Perron ne va pas souvent au magasin général d'Ernest le Lièvre puisque c'est surtout Régina qui s'occupe des achats. Bien sûr, parce qu'à l'époque où il était curé il favorisait le magasin d'Eudore Boutin plutôt que celui d'Ernest le Lièvre, ce dernier n'aime pas beaucoup l'abbé Perron. Il considère que l'Évêque de Chicoutimi aurait pu le forcer à quitter Saint-Irénée. Mais l'abbé Perron reste à Saint-Irénée, comme une âme en peine, à tenter encore de semer la zizanie.

Ernest le Lièvre est un des rares paroissiens à appuyer ouvertement le curé Gravel. Aussi, lorsqu'il voit arriver l'abbé Perron dans son magasin, Ernest le Lièvre laisse sa femme Raymonde répondre à l'ancien curé. Mais c'est vers lui que ce dernier se dirige.

– C'est à toi que je veux parler…

– C'est comme vous voulez, monsieur l'abbé…

L'abbé Perron recherche la discrétion. Il demande à Ernest le Lièvre d'aller dans le *back-store*, l'arrière-boutique, afin de s'assurer que leur discussion demeure secrète. Ernest le Lièvre dit qu'il a beaucoup à faire, mais il consent quand même à prendre quelques minutes pour discuter avec l'abbé Perron.

– La petite Gabrielle Tremblay est parente avec toi, Ernest…

– Oui, mais je ne veux pas me mêler de cette histoire…

– Tu devrais… L'abbé Marcel, le délégué diocésain, croit qu'il faudrait qu'elle habite ailleurs que chez ses tantes. Cela pourrait faire cesser son triste comportement. Moi, je pense qu'elle a besoin d'être dirigée par une personne autoritaire, comme toi, Ernest…

– À ce compte-là, vous seriez encore mieux placé que moi, monsieur l'abbé, sauf votre respect…

– Je ne vais pas accueillir une jeune fille chez moi, tout de même. Toi, tu le peux…

– J'ai déjà plusieurs enfants, plusieurs bouches à nourrir…

– Tu fais de bonnes affaires… Elle pourrait t'aider au magasin. Elle est intelligente.

Ernest le Lièvre n'est pas convaincu. Néanmoins, il accepte de réfléchir à cette idée. Il faut que cette histoire finisse. Il faut que le calme revienne au village. Et la paix, surtout. Faut-il que lui, Ernest le Lièvre, fasse sa part? Il y songera.

L'abbé Perron quitte le magasin sans rien acheter. Ernest le Lièvre reconnaît bien là son avarice proverbiale, sauf peut-être pour s'acheter des bouteilles de boisson forte en provenance de Québec par le train. Et maintenant, voilà même qu'Eudore Boutin travaille à la gare. La mauvaise herbe repousse sans arrêt, pense Ernest le Lièvre. Il se surprend tout de même à penser que oui, peut-être, il serait capable de faire quelque chose pour que cette mauvaise graine de Gabrielle Tremblay retrouve le droit chemin. Oui, il en serait bien capable. S'il le voulait.

Mais Ernest le Lièvre le voudra-t-il? Il y songe. Il y «jongle», comme on dit par ici. La petite ne lui fait pas peur. Il en a vus, des enfants difficiles, dans sa vie. Ses fils sont plutôt durs, il ne leur faut pas grand-chose pour partir la bagarre. Il faut tout le temps les surveiller. Ses filles aussi peuvent être exaltées parfois, elles ont le «sang chaud», comme la plupart des adolescentes de par ici ou d'ailleurs. A-t-il vraiment envie de prendre sur lui de surveiller une enfant apparemment possédée par le diable?

Ernest le Lièvre ne croit pas tellement à cette histoire de possession diabolique. Gabrielle Tremblay fait des siennes parce que personne ne s'occupe vraiment d'elle. Ses tantes sont trop vieilles et leur religiosité extrême a de quoi déplaire à une jeune fille en pleine découverte de la vie. Ce n'est pas là un bon modèle. Elle veut vivre, la petite, pas voir des vieilles filles prier sans arrêt. Et son père reste un faible. Un rien du tout. Il ne peut pas en prendre soin adéquatement. C'est un être misérable, méprisable, abandonnant sa fille sans s'en soucier aucunement. Mais faut-il que lui, Ernest le Lièvre, il prenne cette enfant à sa charge? Il en a parlé avec sa femme. Celle-ci n'est pas contre l'idée d'accueillir Gabrielle:

— Je n'ai pas peur d'elle. Personne ici n'a peur d'elle. Et c'est vrai qu'il y a du travail pour elle au magasin. Nous sommes débordés. Penses-tu, Ernest, par exemple, que cela pourrait faire fuir la clientèle?

— Je ne sais pas. Peut-être pourrait-elle travailler dans l'arrière-boutique très discrètement.

Et puis cette histoire passera, sortira de la mémoire des gens, je pense.

Il n'en est toutefois pas convaincu, mais en même temps, il croit qu'il peut prendre la chance d'aider cette jeune fille perdue. Il se rend de ce pas en parler aux demoiselles qui, tout naturellement, n'ont aucune réticence à ce que Gabrielle les quitte pour aller vivre chez Ernest le Lièvre, un parent éloigné après tout. «Un parent de la fesse gauche», se moque-t-il. Mais les Tourtes ne trouvent pas l'expression très drôle, la trouvant plutôt grivoise. Elles doutent d'ailleurs que Gabrielle veuille aller chez Ernest le Lièvre:

– Elle fait ce qu'elle veut, vous savez. On ne peut rien contre elle… Personne n'a rien pu faire contre elle…

Ernest le Lièvre n'est pas inquiet. Il demande à voir Gabrielle. La petite a déjà descendu l'escalier. Elle est prête à parler avec Ernest le Lièvre. Les demoiselles se retirent dans le salon adjacent à la cuisine et en ferment la porte. Gabrielle lance un regard de défi à Ernest le Lièvre: c'est clair, elle n'a pas peur de lui.

À vingt-deux ans, Ligori Tremblay est un homme en âge de se marier. Il a un bon emploi comme sacristain. Il ne touche peut-être pas un gros salaire mais c'est mieux depuis que le curé Gravel est arrivé dans la paroisse, ayant obtenu de lui de meilleures conditions. Il n'aurait jamais touché cette augmentation de salaire avec l'abbé Perron. Jamais, au grand jamais.

Pendant un certain temps, Ligori s'est permis de vivre quelques aventures avec des filles de la route de Sable pas «farouches» du tout. C'est Raoul Girard qui lui en présentait. Parfois c'étaient des Indiennes ou des Métis, quelquefois des filles venues d'ailleurs, de la ville. Mais, depuis peu, il ne voit plus du tout Raoul.

Ligori a commencé à fréquenter sérieusement Anna Maltais, l'institutrice de l'école du village. Elle est plus âgée que lui de quelques années. Pas encore vieille fille, puisqu'elle a 24 ans, mais elle veut se marier au plus tôt pour ne pas «coiffer sainte Catherine». Elle est intelligente, très appréciée de ses élèves et dans toute la paroisse.

Toutefois, elle sait qu'elle devra quitter son emploi si elle épouse Ligori, une femme mariée devant obligatoirement quitter l'enseignement. Un règlement stupide, pense-t-elle. Et puis, elle possède un peu d'argent. Son salaire d'institutrice n'a rien de faramineux, toutefois elle est économe et son modeste revenu a été scrupuleusement déposé à la Banque Canadienne. Anna Maltais est plutôt jolie. Un peu sévère peut-être, mais à peine, juste assez pour « mettre du plomb dans la tête de Ligori », comme certains disent au village. Ce n'est pas un mauvais garçon, ce Ligori, bien que son comportement dans le passé ait été parfois peu édifiant. Anna ne s'inquiète pas pour cela. Elle saura le surveiller.

D'ailleurs, Ligori l'aime tendrement. Comme une mère, une amie, mais il aime aussi sa taille fine, ses petits seins bien retenus dans sa blouse, ses jambes longues et effilées. Ligori est plein d'énergie. Le couple aura sûrement de beaux enfants. Le mariage est prévu pour le mois de juillet 1923. Toute la paroisse ou presque est invitée, comme c'est l'habitude à Saint-Irénée pour chaque noce. Tout le monde a hâte. Ce sera une grande fête. Le sacristain et l'institutrice de la paroisse qui se marient, après tout, c'est un événement qui a son importance, dans un village comme Saint-Irénée.

Gabrielle se tient droite. Elle ne veut pas s'asseoir et préfère rester debout. Ernest le Lièvre la regarde avec autorité :

– Je n'ai pas peur de toi…

– Moi, je n'ai peur de rien…

– Je veux que tu viennes habiter à la maison, tu pourras aider ma femme au magasin…

La petite éclate d'un grand rire. Elle dit qu'elle ferait peur à tout le monde et puis pas question de demeurer plus longtemps à Saint-Irénée. Elle partira toute seule vers la ville très bientôt. Son idée est déjà faite là-dessus, sa décision bien arrêtée. Ernest le Lièvre prend Gabrielle par l'épaule :

– Ton heure n'est pas venue…

– Lâchez-moi, vous me faites mal…

– Je ne te lâcherai pas…

Il serre davantage le bras de Gabrielle. La jeune fille paraît proche de crier ou peut-être pire… mais Ernest le Lièvre maintient son emprise :

– Tu devras te soumettre à moi…

– Jamais… Jamais…

– Je n'ai pas peur de toi… Gabrielle…

Étrangement, la petite semble se calmer. Elle laisse Ernest le Lièvre lui prendre le bras avec force sans réagir violemment.

– Il faut quelqu'un pour s'occuper de toi. Je le ferai. Tu devras te soumettre à moi. Ton heure n'est pas venue…

– Mon heure n'est pas venue…

– Tu attendras le bon moment pour partir de Saint-Irénée. Je te dis. Je suis ton ami.

Ernest le Lièvre relâche son emprise. Gabrielle accepte d'aller habiter chez lui. Elle partira sans plus tarder de chez les Tourtes. Tout de suite. Elle prend ses affaires, une simple valise noire contenant quelques vêtements. Les Tourtes n'en reviennent pas. Semblent médusées. Elles ne disent rien à Gabrielle et la petite ne leur parle pas non plus. Pas un mot n'est échangé. Ernest le Lièvre remercie les demoiselles et il amène avec lui Gabrielle. Marilda et Clarilda commencent à prier dès le départ de Gabrielle : enfin le diable est sorti de leur maison. Elles en remercient Dieu frénétiquement en récitant de nombreuses dizaines de chapelet.

12

De retour à Montréal depuis peu, John Cameron n'a pas repris les études. L'été s'en vient et comme il a mis un peu d'argent de côté, il prévoit se reposer quelque temps chez ses parents avant de retourner étudier à l'automne à l'Université McGill. Son père, un banquier de la rue Saint-Jacques, n'aime pas beaucoup que son fils soit parti à l'aventure dans une région éloignée du Québec mais heureusement, il est revenu. La famille Cameron habite une splendide maison de pierres dans le quartier Côte-des-Neiges. Ce sont des gens de la haute bourgeoise d'affaires de Montréal. Sa mère ne semble vivre que pour organiser des activités bénévoles au profit des pauvres montréalais qui sont de plus en plus nombreux. Surtout dans les quartiers de l'est de Montréal où John ne s'est pas rendu souvent. Presque jamais, en fait.

Il se souvient de la promesse faite à Arthur Gauthier de tenter de retrouver sa sœur Clara, hospitalisée à Montréal. Comme il a du temps, John Cameron décide d'entreprendre des recherches. Il retrouve bien vite la trace de Clara qui se trouve encore dans un hôpital du centre-ville de Montréal. Elle a séjourné quelque temps dans un sanatorium dans la région des Laurentides, au nord de Montréal et le grand air lui a fait du bien. Clara a apprécié cette région montagneuse, lui rappelant un peu son Charlevoix natal.

Clara va un peu mieux. Elle se repose encore à l'hôpital, mais elle est certaine de pouvoir bientôt quitter ce lieu qu'elle trouve sinistre. Les sœurs lui disent qu'elle pourra sans doute le faire sans tarder. En attendant, Clara aide les religieuses en effectuant de petits travaux de reprisage, ce qui lui permet de compenser un peu pour sa pension. Elle n'aime pas vivre de la «charité publique». Clara veut reprendre une vie normale, elle en a assez de cette inactivité. Elle pense encore à l'Italien. Souvent. Mais personne ne lui écrit plus de Saint-Irénée. Ses lettres restent sans réponses ou presque. Le Père Ti-Boise ne lui écrit plus souvent et même Thérèse ne lui a fait parvenir aucune lettre depuis longtemps déjà. Irait-elle mal à cause du gros Eudore? Clara ne sait rien. Elle s'ennuie. Se croit abandonnée.

Un matin, pourtant, un bel Anglais vient pour la visiter. Une âme charitable, se dit-elle. Non, il connaît son frère Arthur et il est venu spécialement pour la voir. Clara ne retient pas sa joie : comment va Arthur ? Elle s'étonne qu'il se trouve maintenant à Saint-Irénée. Clara se sent bien, chaude à nouveau, adoucie, belle peut-être, il faudra qu'elle se regarde un peu plus dans le miroir à l'avenir, qu'elle s'arrange, ce bel Anglais l'attire, revient la voir souvent. Ils parlent de tout et de rien. Il est instruit. Il a tout son temps. Clara ne reste pas insensible à cet homme attirant qui s'intéresse à elle. Soudainement. Sans raison apparente. À cause d'Arthur. Bien imprévisible, celui-là. Il a décidément de bons amis.

Clara retrouve la joie quand John est là. Ils rient de bon cœur. Les religieuses n'aiment pas trop cela, car, répètent-elles souvent à Clara, c'est ici un hôpital, pas un lieu de fréquentations entre jeunes gens. Clara le sait bien, mais comme cela est bon de sentir la présence d'un homme qui la regarde si intensément. Ce matin, John Cameron lui a même apporté des fleurs qui sentent bon le dehors, la vie, l'espoir. À nouveau, Clara espère en la vie et elle n'en remercie pas le bon Dieu mais seulement le beau John.

Dès que Gabrielle a commencé à travailler au magasin d'Ernest le Lièvre, plus rien d'étrange n'est survenu. Au début, la petite se faisait discrète dans l'arrière-boutique du magasin. Puis, avec l'aide de l'épouse d'Ernest, Gabrielle s'est intéressée à l'accueil des clients et à la comptabilité. Bien sûr, elle n'a pas beaucoup d'instruction, mais elle apprend vite. Les premiers temps, les clients n'osaient pas aller vers elle. De même, les filles d'Ernest le Lièvre craignaient que Gabrielle dorme dans leur chambre. Mais rien ne s'est produit. Tout le monde a cessé d'avoir peur de celle qui, il y a si peu de temps encore, faisait trembler toute la paroisse.

L'été 1923 s'est passé sans aucun autre incident. Gabrielle n'a toutefois jamais voulu revoir son père et encore moins ses tantes, les deux vieilles bigotes. Ces dernières évitent d'ailleurs, autant que possible, de se rendre au magasin. Gabrielle a aussi refusé de voir le curé Gravel qui voulait qu'elle fasse enfin son catéchisme. Le curé n'a pas insisté. Dans les circonstances, sans doute valait-il mieux ne rien brusquer.

Les noces de Ligori et de sa maîtresse d'école ont rassemblé toute la paroisse. L'automne est venu. Il a fait chaud d'abord, puis le temps s'est chagriné. Le froid a même menacé les récoltes. Encore la faute du fleuve. Toujours le fleuve.

Le village de Saint-Irénée paraît plus calme qu'il ne l'a jamais été depuis longtemps. Gabrielle est de plus en plus jolie. Pourtant, aucun garçon du village ne l'aborde et d'ailleurs, elle ne le permettrait pas. Elle n'appartiendra jamais à un homme de par ici. Un jour, elle partira. Elle ne sait pas quand mais elle partira. Et elle ne reviendra jamais. Il faudra peut-être du temps avant qu'elle puisse quitter Saint-Irénée mais elle n'est pas pressée. Pour l'instant, Gabrielle est heureuse chez Ernest le Lièvre. Le temps passera. Son heure viendra. Alors, elle pourra révéler vraiment ce qu'elle est, tout ce qu'elle est. En toute clarté. Elle ne sait pas quand mais cela viendra certainement et à n'en pas douter.

Clara prend visiblement du mieux. Les religieuses songent même à lui recommander d'aller habiter à l'extérieur. Surtout depuis que John Cameron vient la visiter presque à tous les jours. Parfois, ils se rapprochent un peu trop. La directrice de l'hôpital n'apprécie pas la situation, aussi suggère-t-elle à Clara de se rendre solliciter un emploi à l'Hôpital de la Miséricorde où l'on accueille tout particulièrement des jeunes filles de la campagne venues accoucher en ville afin de cacher leur «déshonneur». Elle croit sincèrement que Clara pourrait accomplir une belle œuvre auprès de ces malheureuses.

Clara y obtient effectivement un emploi. Elle a aussi trouvé une petite chambre, au coin de la rue Dorchester et de la rue Saint-Hubert, à proximité de l'hôpital. Une chambre bien modeste, mais elle pourra y recevoir John quand elle le voudra. Il a d'ailleurs tout son temps. Il ne travaille toujours pas et l'été est si chaud à Montréal. Clara en profite et avec son nouvel amoureux, elle prend du bon temps. Son travail lui plaît. Clara ne pense plus à Angelo. Ni à Saint-Irénée.

Tout le monde paraît l'avoir oubliée, à Saint-Irénée. Le Père Ti-Boise et Thérèse n'ont même pas répondu à ses lettres. Elle préfère oublier. Ne veut plus retourner à Saint-Irénée. Elle sait bien que John n'est pas de son monde mais cela lui importe peu. Elle veut profiter de la vie, de sa santé retrouvée. Peut-être pas pour toujours. La tuberculose est une maladie si surprenante, si inquiétante. John n'attache aucune importance à cela. Ils sont heureux. Ils vivent un bel été. Rien d'autre ne compte. Et Clara ne veut penser à rien d'autre.

Au début de l'été, le Père Ti-Boise a connu une grande joie : son fils Philippe est revenu de Coaticook pour travailler avec lui sur la terre. Il n'est peut-être pas aussi robuste ou travaillant qu'Euclide ou Arthur, il est peut-être même un peu paresseux, mais son aide arrive au bon moment, surtout qu'Euclide est retourné travailler sur des chantiers de construction à La Malbaie. Toujours pour des villégiateurs anglophones qui se font encore construire des résidences d'été. Euclide ne revient donc pas souvent à la maison.

Blanche maugrée sans cesse. Elle n'aime toujours pas Nicolas et pas plus Philippe qu'elle traite de grand flanc mou. Elle dit au Père Ti-Boise qu'elle n'est pas obligée de faire à manger pour lui, d'entretenir son linge, qu'elle a bien assez d'ouvrage avec le nouveau bébé. Le Père Ti-Boise en convient, Blanche semble un peu délaissée par son mari. Mais il croit encore que ce couple désuni pourra se retrouver bientôt, dès qu'Euclide sera de retour, à l'automne.

Il ne se soucie pas trop du cas d'Arthur qui travaille toujours à la gare. Il boit même un peu moins, semble-t-il. Mais le Père Ti-Boise ne sait pas tout. Ne veut pas tout savoir.

Il a bien répondu à la dernière lettre de Clara, mais elle lui est revenue avec l'indication «partie sans laisser d'adresse». Elle n'est donc plus à l'hôpital ? Comment le savoir ? Le Père Ti-Boise est perplexe. Son cœur de père lui dit que sa fille est encore vivante. Il se dit qu'il va la retrouver bientôt. Il ne s'inquiète pas encore, d'autant plus qu'il faut faire les récoltes. Philippe se plaint un peu : le labeur est moins pénible à Coaticook. Ici à Saint-Irénée, il y a ces maudites côtes. La terre n'est jamais plane. C'est une terre de misère. Philippe n'entend pas demeurer cultivateur bien longtemps, mais il se garde pour le moment d'en parler à son père.

13

Été 1932. Il fait chaud. Chaque jour, la chaleur se fait plus lourde. Raoul et Angelo, torses nus, s'abreuvent d'une étrange bière d'épinette fabriquée par un Indien de passage dans la région. Le pauvre voulait se faire payer. Faire du troc ou peut-être commercer avec Raoul. Personne ne verra plus jamais cet Indien. Un dénommé Moreau. Les fourrures qu'il transportait dans son canot d'écorce, Raoul et Angelo les ont prises et vendues au marchand Couturier de La Malbaie. Vendus aussi, ses lièvres et ses perdrix. Ils feront le délice des touristes dans une quelconque auberge. Le pauvre Indien séjourne maintenant dans la rivière Malbaie. Son corps englouti, une balle dans la tête, personne ne cherchera jamais à le retracer. Qui peut bien se soucier du sort d'un Indien peu recommandable, un aventurier, un alcoolique, un moins que rien?

Assis sur la galerie de leur pauvre cabane, Angelo apparaît un peu maigre mais Raoul, lui, a pris du volume, de l'étoffe. Ses bras sont immenses. Il n'irait pas jusqu'à oser affronter Davi Archange, l'homme fort de La Malbaie, mais cependant, son corps semble tout aussi velu que celui du colosse habitant non loin du terrain de golf construit dès 1876. Il a du ventre, du gras autour du corps, il en impose. Ce n'est plus du tout l'adolescent miséreux que l'abbé Perron frappait si durement autrefois. Le vieux criss de prêtre, ses coups, Raoul s'en rappelle encore. Cela lui martèle parfois le bas du dos, les reins, l'âme aussi. Pour le peu d'âme qu'il lui reste. Pour peu qu'il en est seulement une. Non, pense-t-il, une âme ne sert à rien, à moins qu'elle soit noire comme la sienne, ou comme celle d'Angelo. Il lui reste encore tellement de mal à faire.

Le mal, Raoul ne voit que cela autour de lui. Surtout ici, dans cette route de Sable où il habite. Un lieu de perdition. Un petit village peuplé de maisons misérables, mornes, tristes. Des maisons de pauvres. Avec des chiens devant les portes. Toutes les maisons abritent un, deux ou plusieurs chiens. Raoul, pour sa part, en possède trois.

Ce sont des maisons habitées par des chiens, des hommes et des femmes rejetés, entassés les uns sur les autres, dans la misère la plus extrême. Vivant grâce à des rapines, à du braconnage. Ces familles Imbeau, Tremblay, Lavoie ont été poussées ici par la misère. Par les gens plus à l'aise de

La Malbaie aussi. Par les curés, par les religieuses. Ces pauvres personnes détonnaient dans le village. Elles étaient vues comme paresseuses et, en conséquence, personne ne leur offrait du travail. Ces gens furent repoussés sur les hauteurs de La Malbaie, dans la route de Sable, secteur ainsi nommé parce que les terres sablonneuses ne produisaient presque rien. Où il n'y avait pas d'eau. Alors, il fallait des chiens que l'on attelait à une charrette pour traîner les barils d'eau que l'on allait chercher loin de la route de Sable.

Un lieu de misère. Les chiens font peur. Ils ne mangent pas souvent comme c'est le cas aussi pour leurs maîtres et maîtresses. Ils sont méchants. Les bons citoyens craignent toujours les chiens et les humains qui ont faim. Raoul est né dans la route de Sable et il a appris à connaître tout cela. Il n'y réside pas par plaisir mais ici, les policiers ne se rendent jamais. Ils ont délaissé le secteur. Ils ne s'y montrent pas. Ils ont peur des chiens et des hommes. Raoul le sait bien. Il est tranquille dans la route de Sable. Il ne partira pas d'ici.

D'autant plus que son complice Angelo s'est bien adapté au secteur. C'est un fidèle, un être égaré facile à contrôler. Il boit de l'alcool autant que Raoul. Ici, dans la route de Sable, il n'y a pas de vin. Tant pis, ce n'est pas si grave même pour un Italien. Raoul et Angelo boivent de la bière, du whisky, du bon rhum de la Jamaïque. Et ils ne se privent jamais d'une galère, jamais de commettre un vol, jamais de tuer quelqu'un s'il le faut. Ils n'ont pas de morale.

Angelo suit Raoul partout et fait tout ce que Raoul lui demande. Il ne s'attache toutefois à aucune fille de par ici. Bien sûr, avec Raoul, il s'épuise à contenter les veuves, les femmes mariées, les sauvagesses, les jeunes filles à peine pubères qui se présentent aux deux compères. Et il n'en manque pas. Les femmes de par ici n'ont aucun remords, que de la passion dans les yeux et une flamme intense dans le corps. C'est une liberté sexuelle totale pour Angelo.

Parfois, pourtant, il pleure derrière la cabane. Raoul ne le sait pas, ne le voit pas. Ou il ne dit rien. Angelo pense à Clara. Sa Clara. Morte peut-être. Il l'a délaissée. Il ne la verra plus jamais. Aucune autre femme ne l'a remplacée dans son cœur. Dans ce qui lui reste de cœur. Aucune femme n'a autant de puissance d'amour que sa Clara. Et aucune ne saura jamais la remplacer. Souvent, Angelo est triste de cela. Il a tout perdu, pense-t-il, en n'allant pas rejoindre Clara à Montréal. Il lui reste l'amertume, le sexe répétitif et sans amour, l'alcool, le crime. C'est bien peu. Clara offrait tellement plus.

Il pleure amèrement et il pense qu'il ne la reverra sans doute plus en ce monde. Peut-être dans un autre. Pas celui des curés. Angelo n'y sera pas admis. Il ira en enfer. Cela va de soi. Il aura bien mérité cette damnation, pense-t-il en pleurant sur lui et sur ses amours perdues avec sa bella Clara.

Raoul ne craint pas l'enfer. Il l'a déjà connu. Né dans la route de Sable, abandonné par sa mère, il ne sait pas qui est son père. Il ne le connaît pas. Personne ne lui en a rien dit. Traîné d'une maison à l'autre, puis abandonné au curé Perron, son enfance et son adolescence n'ont été peuplées que de souffrances. Mais il ne souffre plus. Il a appris à faire souffrir les autres. Violemment. Intensément.

Comme cette Rita Newton, jeune métisse de la localité de Saint-Urbain qui revient sans cesse le voir. Il lui fait l'amour comme à toutes les autres. La pauvre fille de 17 ans à peine a déjà porté trois enfants dont Raoul est le père, trois fils dont il se désintéresse complètement. Elle s'est installée dans une cabane à proximité de celle de Raoul. Elle revient encore et encore. Raoul baisse son pantalon. Le retire. Il aime se promener nu devant elle. Pour que cette femme le regarde. Puis il accepte encore de la pénétrer. Comme il en pénètre de nombreuses autres. Son membre n'est pas aussi gros que celui d'Angelo, mais il est toujours plein de sève. Toujours bien droit. Solide. La petite métisse l'avale goulument. Lui lèche et puis le serre dans sa bouche. Raoul aime cela. La petite sait y faire.

Il se moque bien de ses enfants. Ne va jamais la voir quand elle accouche. Il lui apporte parfois de la viande, de l'orignal, du lièvre. Il en a en quantité. Il braconne sans cesse. Sa vie est une poursuite effrénée. Il ne croit en rien, n'espère rien, sinon, inlassablement, assouvir sa vengeance. Il veut encore tuer Eudore Boutin, ce salaud qui l'a humilié durant son enfance. Son plan se dessine avec plus de précision dans sa tête. Il voit mieux ce qu'il va faire. Il pense à toute la stratégie nécessaire pour accomplir ce meurtre. Eudore mourra de sa main. C'est certain. Dans peu de temps. Il en est convaincu.

Il est vrai qu'il fait chaud, ce matin, mais Eudore Boutin s'est mis au travail depuis longtemps déjà. Il est devenu chef de gare à Saint-Irénée. Il a remplacé Arthur Gauthier qui a quitté pour Montréal ou peut-être pour ailleurs. Personne ne sait trop où il est. Même pas son père, le malheureux Père Ti-Boise, qui s'en désole. Il aurait tant souhaité que son fils s'établisse enfin, cesse de vivre comme un romanichel, comme un pauvre nomade.

Pour Eudore, ce départ a été bénéfique. Il est heureux de ne plus travailler sous les ordres d'Arthur, un être trop brouillon, trop désordonné, et puis sa relation avec Thérèse avait assez duré. À la fin, Eudore n'en pouvait plus d'être la risée de Saint-Irénée. Tout le monde lui disait: «Eudore, tu ne peux pas contenter ta femme, alors elle couche avec Arthur Gauthier sous ton propre toit.» On se moquait allégrement de lui. Encore une fois. Peu importe. Eudore est maintenant le chef de gare de Saint-Irénée. Cela compte à ses yeux. Il donne un bon service. Il salue avec affectation les estivants de passage. Il reçoit les colis des gens du village. Il a un beau costume fourni par la compagnie. Ses patrons ont paru ignorer sa condamnation judiciaire, trop heureux de trouver enfin quelqu'un de stable au poste de chef de gare de Saint-Irénée. Eudore entend faire ce travail encore longtemps. Voir son fils grandir.

Le petit Démétrius a bien changé. Il a maintenant quatorze ans. Eudore se répète sans cesse que Démétrius n'est pas son fils, mais pourtant il l'aime. C'est tout ce qui lui reste, au fond. Thérèse le déteste plus que jamais et le lui fait bien sentir. Elle n'a plus du tout peur de lui. Cette pauvre folle, pense Eudore, il faudra bien trouver un moyen de s'en débarrasser et de faire en sorte qu'elle cesse ainsi de lui empoisonner l'existence. Eudore pourrait très bien vivre seul avec Démétrius.

Ce dernier est devenu son assistant à la gare. Il ne va déjà plus à l'école. Il est doué, il sait compter. Seulement, son visage semble sombre, parfois, comme inquiet. C'est à cause de sa mère qui le traite encore comme un enfant. Ce n'est pourtant plus un enfant et Eudore le sait bien.

⚊

Thérèse ne sait plus quoi faire. Le départ d'Arthur l'a dévastée. Elle avait trouvé en lui un être secourable pour la consoler de son malheur. Il était si joyeux, Arthur, si vivant. Pas un sinistre monstre comme Eudore. D'accord, il se comportait mal et entretenait des relations sexuelles avec de nombreuses femmes du village, mais elle aimait faire l'amour avec lui. Le plus souvent possible. Son corps devenu vivant s'éveillait, respirait, jouissait encore et encore sous la main experte d'Arthur.

Elle a vécu de beaux moments. Puis il a fallu qu'il parte. Elle aurait voulu le retenir à tout prix. Elle a pleuré, lui a offert de l'argent – maintenant que le commerce de photos qu'elle exploite lui rapporte beaucoup – pour qu'il reste pour toujours avec elle mais sans résultat. Il est vrai que personne ne peut retenir ce genre d'homme. Arthur entend demeurer un oiseau libre, comme il lui a dit. Il vole où il veut. Et certainement pas pour toujours à Saint-Irénée. Certainement pas.

Arthur parti, Thérèse reste seule avec Eudore et Démétrius. Elle appréciait qu'Arthur prenne attention à Démétrius, le protège en quelque sorte de son père adoptif. Mais Démétrius n'en a que pour Eudore. Il est son héros et une sorte de modèle pour lui. Pauvre enfant! Il a pourtant tellement souffert à cause du gros Eudore. À l'école, les enfants se moquaient de lui en répétant qu'il est le fils du fifi, de la tapette, du gros porc qui est allé en prison… Pas un jour ne passait sans que Démétrius ne se fasse humilier, rejeter. Il accusait le coup et réussissait quand même bien à l'école. Rien pourtant ne l'éloignait de son père. Il se réfugiait dès qu'il le pouvait auprès de lui. Il le suivait, parlait avec lui de choses et d'autres. Rien d'irréparable ne s'est encore produit, cependant. Thérèse y a vu. Arthur aussi.

Mais maintenant, que va-t-il se passer? Démétrius ne va même plus à l'école. Il ne pouvait supporter l'enseignement des Frères Maristes de La Malbaie. Et puis, il n'aimait pas être pensionnaire. Il a été renvoyé du collège à cause de ses manières, de ses attitudes, enfin, comme lui avait dit le supérieur des Maristes de la communauté de La Malbaie, parce qu'il est trop «particulier» et que cela rend les autres garçons indisposés, agressifs, hargneux avec lui. Il se faisait battre souvent.

Thérèse voit bien les manières de Démétrius : il est si efféminé que c'en devient gênant. Il se peigne les cheveux, qu'il porte long, avec trop d'attention. Porter les cheveux longs, quelle horreur, pense Thérèse ! Encore là, il fait rire de lui. Il marche en ondulant des hanches. Il n'est pas très beau. Pas comme son père feu Démétrius qui serait sans doute bien triste de voir ce que son fils est devenu. Il ne comprendrait pas. Démétrius fils ressemble à Thérèse qui n'a jamais été belle. Il est comme Eudore pour le reste. Ce dernier l'a façonné. Et pourtant, il porte le prénom de Démétrius.

Les gens de Saint-Irénée ont tellement ridiculisé ce prénom donné par «cette folle de Thérèse». Son fils est surnommé *«Deus»* par la communauté. Il est sans cesse la risée de tous. Mais Thérèse ne sait pas jusqu'où Eudore peut aller avec Démétrius et elle s'inquiète de cela bien plus que de tout le reste. Pourrait-il se venger d'elle en agressant Démétrius ? Et si c'était son désir secret, sa vengeance projetée depuis longtemps ? Thérèse n'ose y croire mais elle craint. Elle ne peut pas surveiller Eudore sans arrêt. Comme elle le sait sans scrupules, sans morale, elle a vraiment peur. Le petit se laisserait faire, sans doute. Oh non… Si au moins Thérèse avait du soutien, celui de Clara, par exemple, qui vit encore à Montréal et lui écrit souvent. Mais Clara ne veut pas revenir à Saint-Irénée.

Clara se plaît à Montréal. Il est vrai que la ville est bruyante, un peu survoltée à ses yeux mais elle s'y est habituée. Il y a de beaux magasins et elle aime la rue Sainte-Catherine avec ses commerces remplis de si belles marchandises. Elle ne s'ennuie pas. Elle a même enfin un peu d'argent mais elle ne dépense pas tellement. Remise de sa tuberculose, elle travaille avec les religieuses auprès des jeunes filles enceintes qui viennent accoucher en secret à l'Hôpital de la Miséricorde. Clara les plaint du plus profond de son cœur. Elle s'inquiète surtout pour les pauvres enfants abandonnés « à la crèche » et dont la vie ne sera pas facile, se dit-elle. Il n'en manque pas, d'enfants abandonnés. Clara les dorlote comme elle peut.

Elle aussi n'a plus de famille, désormais. Elle n'écrit pas à son père, ni à personne d'autre qu'à Thérèse. Clara a appris le triste sort de son Angelo. Elle ne peut se résoudre à penser qu'il est devenu un criminel notoire. Elle préfère ne pas le voir, faire comme si elle ne savait pas. Ne pas y penser. Néanmoins, elle y pense sans cesse. Dans son lit, la nuit, elle revit ses étreintes, elle se glisse dans ses bras. Tout cela est imaginaire. Clara ne croit plus à l'amour. N'a pas connu d'hommes depuis John Cameron, le bel Anglais.

Il l'a abandonnée bien vite, celui-là. Il a épousé une Anglaise de la même classe sociale que lui. Il travaille dans la finance et a son bureau sur la rue Saint-Jacques, dans le quartier des affaires, près de la Bourse de Montréal où Rodolphe Forget a connu bien du succès autrefois. Tout cela est loin, maintenant. Clara ne veut pas penser à Saint-Irénée et surtout pas à Angelo. Elle a décidé de ne plus le revoir de toute sa vie. Elle est trop déçue. Comment pourrait-elle vivre avec un homme dont l'existence est consacrée à la criminalité? Ce n'est pas possible. Clara ne veut pas de cette vie-là. Elle préfère travailler chaque jour auprès des religieuses. Son travail est utile, elle s'en réjouit.

Le dimanche quand elle a congé, elle se promène sur la rue Sainte-Catherine. Elle n'assiste jamais à la messe. Elle habite maintenant dans un petit logement meublé au coin des rues Wolfe et Sainte-Catherine. Ce Wolfe qui a donné son nom à la rue, elle ne le connaît pas. Elle ne sait pas grand-chose de l'histoire en général, encore moins de la vie des Montréalais. Elle se fait discrète. Sa vie s'écoule. Elle n'a comme relations humaines que ses conservations avec les jeunes filles à l'hôpital et avec les religieuses. Ces dernières sont froides, desséchées. Clara ne veut pas devenir comme elles mais comment échapperait-elle à ce triste sort? Elle est froide maintenant, elle aussi. Pas chaude comme au temps d'Angelo. Le temps est gris sur Montréal. Clara a vieilli. L'amour lui semble maintenant interdit et elle tente de ne plus penser à son bel Angelo qui l'a tant déçue.

14

Il la tient dans ses mains. Enfin. Le curé Joseph Perron redevient le curé de Saint-Irénée. Après de nombreuses années d'attente. Il a reçu sa lettre de nomination de l'Évêque accompagnée d'un petit mot de l'abbé Léon Marcel qui est devenu son ami depuis son passage à Saint-Irénée. En fait, l'abbé Léon Gravel a quitté rapidement la paroisse, après l'affaire de la possédée. Il n'en pouvait plus. Il avait peur. Il craignait les gens de Saint-Irénée de plus en plus. L'Évêque lui a alors offert d'aller étudier à l'Université pour se remettre un peu de ses émotions, avant d'être nommé dans une autre paroisse. L'abbé Gravel a plutôt préféré faire un voyage aux États-Unis chez un quelconque parent. Il n'est pas revenu depuis. La rumeur prétend qu'il aurait quitté les ordres et qu'il serait devenu protestant. Mais on ne sait rien de plus.

Le poste de curé de Saint-Irénée a été vacant longtemps. Plusieurs prêtres sont venus mais n'y ont résidé que bien peu de temps et la réputation sulfureuse du lieu n'a pas aidé ; l'histoire de la possédée a vite fait le tour du Diocèse et même au-delà. Qui aurait voulu de cette paroisse ? L'Évêque s'est longtemps entêté à ne pas nommer l'abbé Joseph Perron en raison de sa mauvaise réputation. Toutefois, l'abbé Léon Marcel, à titre de secrétaire et d'ami de l'Évêque, lui a fait accepter l'idée de nommer à nouveau l'abbé Perron. L'abbé Marcel se montre d'ailleurs très précis dans son petit mot adressé à l'abbé Perron à l'occasion de sa nomination :

Cher ami,

Voilà, c'est fait. Son Éminence l'Évêque de Chicoutimi a finalement accepté ma suggestion de te nommer curé de Saint-Irénée. Toi seul possèdes la force de mater cette population par trop rebelle. Tu demeureras curé de cette paroisse tant que tu le voudras. Personne d'autre n'en veut. Tu as mon appui et celui de l'Évêque.

Je garde un très bon souvenir de mon passage chez toi et je ne dis pas que je ne passerai pas te revoir un de ces jours.

Abbé Léon Marcel
Secrétaire de l'Évêque de Chicoutimi

L'abbé Perron a retrouvé avec joie le presbytère de Saint-Irénée. Régina viendra y résider avec lui tout en surveillant la Banque qui avait justement besoin d'agrandissement. Cet établissement occupera désormais une bonne partie de la maison de l'abbé Perron. Les gens de Saint-Irénée sont têtus, sans doute butés, mais ils savent économiser. Le chiffre d'affaires de la Banque ne cesse de croître. Tant mieux. Le curé Perron aura tant à faire ailleurs.

Remettre la paroisse à l'ordre ne sera pas facile. Il ne s'inquiète pas pour la petite possédée qui paraît bien tranquille depuis qu'elle réside chez Ernest le Lièvre, mais plutôt pour Eudore et Thérèse, ce couple maudit, et aussi pour Démétrius, cet enfant devenu une sorte de femme au lieu d'un homme. Il faudra redresser cela. L'abbé Perron a décidé d'en faire sa priorité et de combattre ce scandale devenu trop flagrant.

Le soleil entre par la fenêtre ouverte. Il fait chaud dans le magasin d'Ernest le Lièvre. Gabrielle est en beauté. Elle porte une simple robe de toile fine qui lui glisse sur le corps délicatement. Pour sûr, elle attire les regards mais aucun homme ne lui fait de propositions, car ils ont tous peur d'elle. De toute façon, Gabrielle ne veut pas fréquenter un habitant de Saint-Irénée. Elle rêve encore de plus, de mieux, mais elle ne sait pas de quoi. L'horizon est si large sur le fleuve. Il y passe tellement de bateaux. Pour le moment, Gabrielle n'en prend aucun. Peut-être devrait-elle quitter Saint-Irénée comme l'a fait Clara Gauthier. S'en aller vers Montréal.

Gabrielle attend. Elle hésite. Elle est quand même bien, ici. Elle travaille dans l'arrière-boutique du magasin et fait de la comptabilité ou du rangement. La famille d'Ernest le Lièvre est gentille avec elle. Quand elle a l'impression que quelque chose s'agite en elle, veut intervenir ou bouger, agir violemment, elle s'empresse d'aller voir Ernest le Lièvre qui n'est jamais bien loin. Alors, il lui prend le bras et dit :

— Gabrielle, je comprends ce que tu ressens, mais il faut penser à autre chose, détourner le regard, tu dois rester ici avec nous, pas aller ailleurs où tu vas trouver des songes étranges.

Elle arrête alors de trembler. Elle retourne à son travail et rien d'autre ne se passe. Le silence se fait en elle. Il lui reste une sorte de torpeur après, puis un désir de partir, mais elle reste, pourtant. Il semble bien que l'heure de son départ soit encore retardée.

La chaleur étreint le Père Ti-Boise. Il travaille seul sur sa terre en ce mois de juillet éprouvant, étouffant. Il n'y peut pas grand-chose. À son âge, plus de soixante-dix ans, que parvient-il encore à faire? Sarcler le jardin, encore raboter la terre, transporter l'eau en cette période de sécheresse, herser, bûcher le bois, il en a encore la force, mais pour combien de temps? Sans l'aide de Blanche pour le jardinage, la famille manquerait peut-être de nourriture en hiver. Elle s'occupe aussi de nourrir les animaux mais le troupeau n'est plus ce qu'il était: quelques vaches, des porcs, des poules et des dindes, une vieille jument épuisée de fatigue.

La terre ancienne de la famille Gauthier ne donne plus comme autrefois. Elle est devenue aride, presque improductive, tout juste bonne à produire des patates. Il faudrait un homme jeune pour y voir. Les fils du Père Ti-Boise l'ont bien déçu. Euclide continue de faire surtout de la menuiserie pour l'entrepreneur Trudel. Le village de Saint-Irénée se remplit ainsi de maisons nouvelles, surtout celles d'estivants fortunés. Le travail ne manque pas. Il y a eu aussi les réparations à l'église paroissiale. Le Père Ti-Boise y a participé. Ce fut une belle corvée paroissiale. Mais les anciens de la paroisse ne reconnaissent plus leur ancienne église, désormais. Il faut toujours rénover, faire du progrès.

Le Père Ti-Boise ne s'adapte pas. C'est certain qu'Euclide aide encore sur la terre mais si peu... Et puis le Père Ti-Boise comptait beaucoup sur son fils Philippe pour l'aider lorsqu'il est revenu à Saint-Irénée il y a une dizaine d'années, mais ce fut bien décevant. Philippe a travaillé une année, puis une deuxième, mais le cœur n'était plus là. Il ne s'entendait pas bien avec Blanche non plus. Encore des chicanes dans la maison des Gauthier... Puis, il a commencé à fréquenter une jeune femme de La Malbaie, Céline Boivin, une institutrice. Ce fut le grand amour.

La nouvelle flamme de Philippe, femme déterminée et ambitieuse, ne voulait pas épouser un cultivateur. Habile et industrieux, Philippe a voulu la satisfaire en créant à La Malbaie un commerce de nettoyage de vêtements comme on en trouve en ville. Il a nommé son entreprise *Le Nettoyeur Moderne*. Il a bien fait rire de lui par les gens de la région qui se moquaient en disant : « Philippe, ce n'est pas la ville, ici, les cultivateurs ne vont pas faire laver leur linge par les autres. »

Même aidé par sa nouvelle flamme, Cécile Boivin, qui avait un peu d'argent de famille, le commerce n'a pas été lancé facilement. Au début, la clientèle se faisait rare, malgré l'équipement technique moderne acheté par Philippe à Québec. Puis, l'entreprise a pu s'assurer la clientèle des estivants en été et celle de plusieurs maisons de pension et d'hôtels. Et la population locale a commencé à apprécier ce nouveau service.

Le Nettoyeur Moderne fait maintenant de bonnes affaires, c'est une belle réussite. Philippe a épousé Cécile Boivin, et ils habitent La Malbaie dans une confortable maison construite par Philippe lui-même. Le Père Ti-Boise ne peut qu'être fier de lui, mais pourtant il regrette… la terre… la terre… Il espérait beaucoup aussi en son petit-fils Nicolas, mais lui non plus ne veut pas rester sur la terre. Il rêve d'aller travailler à La Malbaie, au Nettoyeur Moderne, avec son oncle Philippe. Il est pourtant encore trop jeune, à quinze ans. Il a un caractère difficile. Il déteste sa belle-mère Blanche et celle-ci le lui rend bien.

Heureusement, Blanche a eu d'autres enfants avec Euclide après la naissance d'Irène en 1922. Il y a eu Léo, Hélène, Anita, Gilberte. Blanche attend un autre enfant pour bientôt. Ses relations avec Euclide ne sont pas toujours à leur mieux, mais ils ont établi une sorte d'entente entre eux afin d'éviter les disputes, surtout devant les enfants. La pauvre Blanche est si occupée qu'elle n'a pas le temps de penser à autre chose que de s'arracher le cœur à la tâche du matin au soir. Elle est maigre et pâle, mange peu, dort mal, se lève tôt, un peu après le Père Ti-Boise qui est déjà debout à 3 h 30 du matin. Il lui offre alors un thé, ils parlent un peu, mais pas très longtemps, les enfants se réveillent, le dur labeur de chaque jour recommence.

Le Père Ti-Boise espère toutefois en son petit-fils Léo. Ce dernier, même encore très jeune, porte un grand intérêt à la terre. Il pose toutes sortes de questions. Et il aime beaucoup son grand-père. Cela réconforte le Père Ti-Boise qui se prend à croire en une relève possible. Il y a aussi Clara, sa pauvre fille dont il n'a plus de nouvelles. Il y pense parfois. Souvent aussi, il essaie de l'oublier mais n'y parvient pas. Elle doit être heureuse à Montréal. Ce n'est pas le Père Ti-Boise qui va aller la chercher dans cette grande ville. Il sait au moins qu'elle n'est pas morte et qu'elle n'est pas avec l'Italien. Ça, c'est important. Ce sale Italien n'est rien qu'un criminel et Clara doit sûrement mener une bonne vie à Montréal. Peut-être qu'elle n'est pas très pratiquante, pas très proche de la Sainte Église catholique, mais elle a de bonnes valeurs. Le bon Dieu doit veiller sur elle, croit le Père Ti-Boise, et cela le rassure.

La rue John-Nairne à La Malbaie porte le nom du seigneur écossais qui a favorisé le peuplement de la région après la Conquête anglaise de 1759. John Nairne voulait transformer le lieu en une nouvelle Écosse et y implanter des résidents anglophones et protestants. Son projet a connu l'échec : la population de La Malbaie est maintenant entièrement de langue française et de religion catholique.

Nos gens ont peuplé ce coin de pays comme des bêtes insensées, pense l'avocat Raymond Morin, et ils se sont vautrés dans la misère la plus immonde et l'ignorance. Les Anglais savent quoi faire, eux, et ils n'élèvent pas des familles de dix enfants et plus. Ils ont appris le commerce, ne rejettent pas l'instruction et la connaissance. Ce n'est pas seulement à cause des curés bornés si les habitants de la région sont si arriérés, se dit encore l'avocat, c'est aussi à cause de la politique. Il faudrait un député dévoué pour guider cette population ignare. Pas comme ce Pierre Casgrain, un député fédéral absent de la région sauf pour les élections.

Raymond Morin a pu étudier grâce aux pauvres économies de son père, pourtant un simple cultivateur. Son père avait du cœur, une tête sur les épaules, il voyait loin. Raymond Morin ne lui a pas fait honte. Il est devenu un avocat connu, apprécié, impliqué dans l'organisation politique.

Son parcours a été sans failles jusqu'à ce jour. Il a défendu la petite élite de La Malbaie et surtout il s'est lié aux estivants de passage dans le secteur en été. Il parle bien l'anglais et peut les conseiller à l'occasion. Il est souvent invité à la villa de plusieurs d'entre eux.

Il protège aussi les aubergistes et il s'assure que ces derniers soient bien approvisionnés en gibier afin de répondre à la demande des clients. L'affaire est délicate, mais payante. Il faudra bien de l'argent, se dit Raymond Morin, pour financer la prochaine campagne électorale. Il veut prendre la place de Pierre Casgrain comme député libéral à l'élection fédérale qui s'en vient. Il s'opposera à lui publiquement s'il le faut. Toutefois, il y a aussi ce malfrat de Raoul Girard à qui il a fait un peu trop confiance. Il l'attend d'ailleurs à son bureau aujourd'hui, mais il tarde comme à son habitude et, lorsqu'il arrive enfin, c'est un spectacle désolant :

— Raoul, je t'avais dit de t'habiller comme du monde pour venir à La Malbaie. Ta chemise est déchirée, ton pantalon est sale.

— Je suis pas un bourgeois, moi, je suis un bandit. Un bandit, ce n'est pas propre et c'est comme ça, lui réplique Raoul sèchement.

Raymond Morin en vient presque à avoir peur de lui, parfois. Mais c'est un chasseur remarquable. Il a encore du gibier dans sa besace, même des fourrures. Comme à l'habitude, Raymond Morin prendra sa part. Il continue d'assurer la protection juridique de Raoul même si ce n'est pas vraiment facile.

– Je voulais te dire, Raoul, que tu dois faire attention, je crois que tu exagères. Je ne pourrai pas toujours couvrir tes crimes auprès du chef Brisson. Je ne veux pas tout savoir ce qui se passe dans la route de Sable, mais prends garde. Ton nom est sur toutes les lèvres. Tout le monde a peur de toi. Quand tu viens à La Malbaie, ne va pas te saouler à l'Hôtel Hovington tenu par ce vieux bandit originaire de Tadoussac. Tu sais que ça finit toujours par des batailles...

– Moi, je n'ai pas besoin de remontrances et pis toi, t'es pas un curé. Moi, je ne fais pas des affaires avec les curés, pis regarde ce que je t'apporte aujourd'hui.

Raoul sort ses belles prises et Raymond Morin voit tout l'argent que cela pourra lui rapporter. Il s'agit de braconnage, de contrebande, mais peu importe, ce n'est pas avec la pauvre clientèle des gens de La Malbaie que l'avocat Morin pourra renverser Pierre Casgrain et se faire élire député fédéral de Charlevoix. Il en faudra, de l'argent. Il offre à Raoul quelques dollars, un verre de gin, et le voilà contenté. Il repart sans plus attendre. Raymond Morin sait bien qu'il s'en va à l'Hôtel Hovington.

Georges Hovington n'est pas un peureux. Il a navigué sur des goélettes partout sur le fleuve. C'est un marin dans l'âme. Il a aussi travaillé sur les vapeurs de la Canada Steamship Lines, les beaux bateaux blancs. Puis un jour, il a décidé de rester sur la terre ferme. Il avait assez voyagé. Alors que faire ? Heureusement, il a hérité d'un hôtel à La Malbaie, propriété d'un de ses oncles mort mystérieusement à la suite d'une bataille. L'hôtel porte le nom des Hovington depuis plusieurs générations.

L'ancêtre Hovington, un Anglais d'origine, s'était établi à Tadoussac au début du dix-neuvième siècle. Un de ses descendants avait ouvert un hôtel à La Malbaie vers 1850, si bien que le lieu est connu dans les environs depuis longtemps. En retrait du village de La Malbaie, la maison qui abrite l'hôtel est vaste mais commence à ressentir le poids des ans. À l'extérieur, le revêtement noir n'est pas invitant mais à l'intérieur, il y a de la vie et de bien jolies filles. Pas du tout farouches, en plus. Certaines pensionnent à l'hôtel et elles montent à leurs chambres avec les clients sans trop se faire prier. Pour quelques sous tout au plus. Parfois pour rien quand c'est pour le beau Raoul Girard et son ami l'Italien qui est d'ailleurs attablé seul à siroter sa bière.

Georges Hovington sait bien que Raoul ne devrait pas tarder. Il vient toujours rejoindre l'Italien lorsqu'il a terminé ses affaires à La Malbaie. Ils ont de l'argent plein les poches. Tout cela peut tourner en bagarre lorsqu'il y a plusieurs clients en état d'ébriété dans l'hôtel. Georges Hovington décide donc de chanter une chanson de folklore afin de détendre un peu l'atmosphère. Dans sa famille, c'est une tradition de chanter des airs anciens, surtout des chansons héritées de la tradition française mais parfois anglaise aussi. À l'instant où Raoul entre dans l'établissement, Georges Hovington y va d'un air solennel :

Revenant de l'Espagne
Passant par la Rochelle
Dans mon chemin, j'ai rencontré
Te tum te tum té té di li dum
Une jeune fille à marier

Tout doucement en souriant,
J'me suis approché d'elle
Marions-nous car il est temps
Te tum té tum té té di li dum
Marions-nous car il est temps
Nous allons publier qu'un ban

Georges Hovington n'a pas le temps de finir son refrain que Raoul s'est jeté sur Gilbert Lowe dont le père, d'origine irlandaise, s'est installé dans la région après s'être jeté d'un navire rempli d'immigrants, en plein fleuve Saint-Laurent. Après avoir nagé jusqu'à la rive, il est arrivé à Saint-Siméon où sa famille habite depuis. L'Irlandais est un bon bagarreur et Raoul le sait. Il n'aime pas se battre avec des hommes qui ne sont pas de sa trempe. L'affaire tourne mal : le premier coup de poing de Raoul ne manque pas la cible et le pauvre Gilbert Lowe gît par terre :

– Maudit Irlandais sale, je vais t'achever... Pas d'affaire à immigrer par icitte... maudit sale...

Raoul commence à le rouer de coups de pieds. Il faudra toute la force d'Angelo et de Georges Hovington pour l'empêcher de tuer l'Irlandais. Heureusement, Raoul se calme. Dire qu'il n'a même pas encore consommé d'alcool. Georges Hovington fait alors signe à la Rougette, une bonne grosse fille de Saint-Irénée qui plaît bien à Raoul.

– Amène-le dans ta chambre et si tu réussis à le calmer, je te donne cinquante cents...

– Pas besoin d'autant d'argent, monsieur Hovington, moi, je l'aime bien, le beau Raoul et je saurai bien le contenter...

Raoul suit la Rougette sans hésiter tandis que Gilbert Lowe quitte l'hôtel. Angelo se fait offrir de suivre une plantureuse fille qui se montre disponible pour lui. Il refuse. Son regard est sombre. Il commande plutôt une autre bière.

— Il va trop loin, Raoul, dit Georges Hovington, si tu es son ami, tu devrais tenter de le raisonner.

— Je sais, je sais… mais qu'est-ce que je peux faire… *Mamma mia…*

15

L'abbé Perron souhaite marquer son retour comme curé de Saint-Irénée en prononçant un premier sermon dominical pour le moins marquant. Il lui faut absolument signaler ce relâchement des mœurs qu'il constate depuis qu'il a quitté son poste de curé. Et maintenant qu'il retrouve cette fonction, il veut exprimer clairement son désir de traquer les pécheurs comme l'homme de Dieu qu'il est se doit de le faire. Toutefois, dès le début de la grand'messe, il constate que l'assistance n'est plus ce qu'elle était et que même quelques bancs sont vides.

Sa voix s'élève dans le temple paroissial pour dire que si Saint-Irénée a été soumis au démon, tout cela doit changer. Il demande à ses paroissiens de se confesser au plus tôt et il veut que tous reçoivent le Pardon de Dieu afin de « chasser le diable ». Il annonce qu'il va effectuer une grande visite dans chaque maison de la paroisse et surtout chez ceux et celles qui s'absentent de la pratique religieuse. Il n'y a aucune raison valable, selon lui, de ne pas recevoir les sacrements et de pas venir rencontrer son Dieu à l'église le dimanche.

Il dénonce avec force les dépenses effectuées par son prédécesseur pour réparer l'église et qui ont dénaturé la maison de Dieu pour en faire un lieu sans attrait. Le curé Perron veut aussi prélever la dîme de façon plus rigoureuse afin de s'assurer que les finances de la Fabrique soient remises en ordre. Puis il revient sur l'alcool qui se consomme en trop grande quantité dans la paroisse, sur les femmes de mauvaises mœurs qui transigent un peu trop leurs charmes et même, sacrilège suprême, sur ces femmes mariées consommant les «actes de la vie» avec d'autres hommes, en secret mais devant le regard courroucé de Dieu. Et puis le fait de travailler le dimanche chez ces estivants au nombre desquels se retrouvent des dépravés et des porteurs de scandales publics. Il s'en occupera, pour sûr, il les rencontrera, voire les chassera de la paroisse s'il le faut. Il les pourchassera autant qu'il l'a fait auparavant avec le fameux Rodolphe Forget. Le curé doit être le maître de sa paroisse, sans quoi le démon reviendra, c'est certain. Il va frapper et seul lui, le curé Perron, peut s'ériger en rempart contre ces actions mauvaises. Tous et toutes doivent le reconnaître et se reprendre en main dans la Foi chrétienne sans quoi ce pourrait être la damnation !

Le curé Perron parle depuis déjà plus de trente minutes et dévoile son immuable programme sans faiblir, avec une conviction apparemment inébranlable. Ses paroissiens constatent qu'il n'est guère plus intéressant à écouter qu'autrefois. Si certains d'entre eux le craignent encore, d'autres semblent demeurer impassibles. La plupart se moquent de ce curé d'un autre âge qui revient pour les ramener à un passé qu'ils auraient bien voulu oublier. Même le curé Perron a senti qu'il lui sera difficile de contraindre ces gens à l'écouter et à suivre les recommandations de la Sainte Église. S'il voit bien par exemple que la famille du Père Ti-Boise Gauthier semble aller mieux, il ne peut que constater l'absence d'Eudore et de Thérèse Boutin à l'église. Il lui faudra agir sans tarder. Sans hésiter. Avec force.

Les paroissiens quittent l'église rapidement. Peu d'entre eux viennent discuter avec le curé Perron, sauf les vieilles filles Clarilda et Marilda qui le saluent poliment et quelques notables un peu gênés passant discrètement devant lui. Personne n'est vraiment heureux du retour comme curé de Saint-Irénée de l'homme redoutable qu'il demeure. Il le sait bien. Il n'est pas prêtre pour se faire aimer mais pour que ses paroissiens aiment Dieu et retrouvent ses préceptes. Envers et contre tous. Même si cela blesse, fait mal à quelques-uns. La lutte contre le péché est à ce prix et l'abbé Perron n'y renoncera pas.

＝

Thérèse regarde de belles photos prises chez un estivant la semaine dernière. C'est qu'à l'occasion du mariage de sa fille, le juge Lavergne de Québec a offert un grand banquet à sa villa de Saint-Irénée. Les invités sont parés de bien beaux vêtements. Thérèse les envie, elle qui s'ennuie tant avec son renégat de mari qu'elle déteste toujours autant. Elle ne peut même pas se consoler avec son fils Démétrius qui lui cause son lot de soucis.

Elle invoque souvent son bel amour Démétrius pour qu'il aide son fils à devenir un homme. Elle sait bien qu'il n'entend pas, mais cela lui fait du bien. Elle a l'impression qu'il est avec elle, qu'il la caresse encore, qu'il lui dit qu'elle est belle. Ce n'est rien qu'un rêve et cela ne sert pas à grand-chose, mais Thérèse se réfugie dans cette illusion qui la réconforte. Soudain, elle perçoit du bruit dans sa chambre. C'est sans doute le gros Eudore qui vient d'entrer, mais non, il n'est pas là… Thérèse se rend à sa chambre et ce qu'elle découvre dans son miroir la frappe en plein cœur.

C'est Démétrius qui a revêtu certaines de ses robes et plusieurs pièces de sa lingerie personnelle pour s'habiller en femme...

– Qu'est-ce que tu fais, Démétrius?

– Je suis une femme, maman, pas un homme...

– Voyons, tu es fou, retire mes vêtements...

– Non, je m'habille comme toi, tu es une salope, papa l'a dit...

– Qu'est-ce que tu dis, tais-toi!

– Oui, une salope, mais moi je vais plaire à mon père, je serai belle, pas laide comme toi.

– Démétrius, retire mes vêtements...

– Tu as gâché notre vie, laisse-moi donc seul avec papa... je serai une femme pour lui.

Thérèse s'effondre sur le lit. Démétrius quitte la pièce toujours habillé en femme et il crie:

– Comme ils disent dans la paroisse... Tu es une salope et moi je suis une femme... la vraie femme de mon père...

Thérèse se lève et va rejoindre Démétrius. Elle le prend fermement et lui retire les vêtements qu'il porte. Puis lui donne une serviette pour effacer le rouge à lèvres qu'il s'est mis. Elle lui parle avec force:

– Que je ne te revoie plus jamais faire cela ou alors je te fais placer à la maison de fous à Baie-Saint-Paul. Je t'y conduirai moi-même. Et je vais t'abandonner là. Démétrius, ne porte plus jamais mes vêtements.

Démétrius est en pleine confusion mentale. Il s'en retourne à sa chambre, dévêtu, inquiet. Thérèse craint tellement pour lui. Elle pleure et pleure encore. Elle décide de ne pas en parler à Eudore. En fait, Thérèse choisit plutôt d'écrire à son amie Clara. Que fera-t-elle de cet enfant qui n'a que quinze ans, après tout ? Vraiment, elle ne sait plus quoi faire.

Angelo n'a jamais connu autre chose que la pauvreté. En Italie, il a toujours vécu dans la misère. Dans sa nouvelle terre d'adoption en Amérique du Nord, ce fut l'errance, la marginalité. Son seul véritable moment de bonheur, il l'a connu avec sa belle Clara, des moments d'amour brûlant qu'il ne veut surtout pas oublier. Pourtant, dans toute sa pauvre vie, Angelo n'a jamais rien vu d'aussi triste que la route de Sable. Cette population a toujours été rejetée, mise à l'écart. Elle vit dans le dénuement le plus extrême, souvent proche de la famine ou encore presque morte de froid en hiver dans des cabanes mal construites ouvertes à tous les vents.

Ah ! L'hiver… Angelo ne s'y habitue pas. Il y a trop de neige, trop de glace et cela ressemble à un enfer. Il pense parfois à quitter ce pays et à aller vers les États-Unis si cela est possible. Toutefois, son espoir de revoir Clara le retient. Il pense qu'un jour, il pourra encore être auprès d'elle. Il tente de s'en convaincre. Cela lui permet d'espérer un peu en la vie. Alors, pourquoi ne pas aller à Montréal lui parler, la ramener vers lui ? Certainement qu'elle lui en veut ou même qu'elle le déteste. En la rencontrant, il saurait à quoi s'en tenir. Et il faudrait quitter Raoul avant qu'il ne soit trop tard. Sinon, Angelo a bien peur de finir ses jours en prison. Raoul est devenu fou et très dangereux, pense Angelo. Il sait qu'il ne peut rien faire pour arrêter la folie criminelle qui habite cet homme. Ses instincts mauvais paraissent ne jamais devoir s'assouvir. Mais Raoul le laissera-t-il partir ? Ne voudra-t-il pas le tuer avant pour le faire taire ? Angelo voit bien l'impasse dans laquelle il se trouve. Il veut pourtant parler à Raoul qui, d'ailleurs, s'approche de lui en ce moment même :

– J'ai fait cuire un beau lièvre sur le feu, en veux-tu un morceau, Angelo ?

– Je n'ai pas faim, Raoul…

– À quoi tu penses, t'es toujours en train de rêvasser…

– Je pense que tu exagères, Raoul. Le policier Brisson de La Malbaie va finir par t'arrêter, tu en fais trop, et moi, je ne veux pas me retrouver en prison…

Raoul y va d'un rire énorme. La prison ? Ce n'est pas l'Italie ou Montréal, ici. Raoul assure qu'il est protégé par l'avocat Morin et qu'Angelo n'a rien à craindre. Il parle plutôt de son projet immuable, celui de tuer Eudore Boutin.

— Tu vas m'aider à éliminer Eudore...

— Non, cette fois non, Raoul. Je ne veux pas.

Raoul prend Angelo à la gorge. Lui répète qu'il va l'assister dans ce crime et que son plan est prêt. Angelo recule et insiste pour répéter que non, il n'en fera rien. Raoul fait comprendre à Angelo qu'il n'a pas le choix, il est avec lui à la vie, à la mort. Leur amitié est inébranlable, ajoute-t-il. Et puis, il s'amuse bien tous les deux, à braconner, à voler et même à tuer... Angelo ne dit plus un mot et va faire un tour à l'extérieur de la cabane. Raoul le regarde froidement. Il sait qu'il devra tôt ou tard régler le cas d'Angelo qui devient gênant mais le moment n'est pas encore venu. Il a encore besoin de lui. Pas pour longtemps, sans doute, mais quand même, Angelo peut encore lui servir pour un temps.

Clara lit la lettre de Thérèse avec consternation. Elle voit bien que son amie se trouve dans une situation difficile. Elle voudrait se rendre à Saint-Irénée pour la soutenir, pour lui aider un peu, mais il n'est pas question que Clara rencontre le gros Eudore. Dès sa sortie de prison, elle avait évité de le voir et elle continue de le craindre plus que tout au monde. Elle est convaincue qu'il est encore capable de commettre des crimes affreux. Elle ne croit pas un instant qu'il soit repenti de quelque façon que ce soit. Clara répète sans cesse à Thérèse qu'elle devrait quitter ce salaud, cet homme profondément malade. Mais Thérèse hésite. Elle a vécu de bons moments avec Arthur, le frère de Clara, mais ce dernier n'est plus avec elle. Et Thérèse a besoin de quelqu'un pour la soutenir.

Clara écrit à Thérèse qu'elle ne doit pas s'inquiéter pour Démétrius, que c'est sans doute un jeu d'enfant sans conséquence et qu'il faut plutôt qu'elle surveille Eudore. Ce dernier peut entraîner l'enfant dans de mauvais penchants. Il est capable de tout, suggère-t-elle à Thérèse. Clara tente de réconforter son amie. Mais pourquoi ne vient-elle pas habiter à Montréal avec elle ?

Thérèse n'a pas une grande force de caractère et elle ne se sent pas le courage de rompre son mariage avec Eudore. Et elle a encore peur des prêtres, de la religion, et puis Thérèse a dit à Clara que l'abbé Joseph Perron vient de reprendre sa place comme curé de Saint-Irénée. Clara s'en moque complètement. Il y a longtemps qu'elle a cessé de respecter l'Église catholique et qu'elle déteste profondément ce maudit curé Perron. Bien sûr, elle travaille avec des religieuses, mais seulement pour aider de pauvres femmes enceintes en grande difficulté. Elle ne fait pas cela pour le bon Dieu, c'est certain. Elle ne croit d'ailleurs plus en Dieu. Thérèse, quant à elle, n'a pas encore compris, se dit Clara. Cela viendra sans doute. Il lui faudra encore vivre bien des misères avant de s'affirmer, de voir que dans le monde nouveau qui s'en vient, il y aura de la place pour des femmes libres. Ce jour semble encore loin mais Clara sait qu'il va venir et elle se dit qu'elle peut bien devancer les choses et tenter de vivre sa vie de femme maintenant.

Clara pourrait lever sa répulsion envers Eudore et retourner vivre un temps à Saint-Irénée pour essayer de sortir Thérèse de sa malheureuse situation. Sans doute aussi pour sauver Démétrius des griffes sordides de son père. Mais Clara sait qu'elle voudrait alors revoir Angelo et que ce serait peut-être alors le feu, mais aussi la souffrance. Sûrement, il ne voudrait pas d'elle, lui qui doit «courailler» avec tant de jeunes filles prêtes à lui donner de l'amour. Clara n'est plus aussi jeune. Les épreuves et la maladie l'ont vieillie prématurément. Il est probable qu'Angelo ne la trouve pas aussi désirable. Elle le sait, le miroir est là, devant elle, dans son petit logement, pour lui

montrer qu'elle est bel et bien devenue une
«vieille fille», comme on dit. Clara s'empresse
de terminer sa lettre à Thérèse et de la poster sans
tarder. Ce n'est pas demain qu'elle va retourner
à Saint-Irénée. Thérèse devra se débrouiller sans
elle. Sans doute Clara passera-t-elle le reste de sa
vie à Montréal.

⁓

L'abbé Perron vient d'entreprendre sa visite
paroissiale. Il a commencé par le rang de Terre-
Bonne et il arrive à la maison du Père Ti-Boise
Gauthier, laquelle a fière allure. Elle est entretenue avec grand soin par Euclide, un menuisier
remarquable qui s'est aussi avéré un habile architecte dans les circonstances. C'est un bâtiment
solide, érigé face à ce fleuve qui s'y dévoile toujours avec splendeur. Quittant sa calèche, l'abbé
Perron s'éponge le front :
— Il fait chaud, lui dit le Père Ti-Boise qui
vient à sa rencontre. C'est le mois de juillet le
plus chaud que j'ai jamais vu de ma vie…
— Ne cherche pas à questionner le plan du bon
Dieu, Ambroise, il y a toujours eu des étés chauds
et d'autres plus tempérés. Et tu peux bien t'imaginer qu'en enfer, c'est bien plus chaud qu'ici.

Le Père Ti-Boise constate que le curé Perron n'a pas changé. Il est toujours aussi rigide, aussi convaincu de détenir toutes les vérités. Le Père Ti-Boise préfère cela, car si le bon catholique qu'il est ne peut pas se fier à un prêtre pour connaître la vérité, alors vers qui se tournera-t-il? En fait, il est bien content que l'abbé Perron soit redevenu curé de Saint-Irénée et il était temps, avant que la paroisse ne subisse encore d'autres assauts du démon. Il invite le curé à entrer dans la maison. Blanche ne se précipite pas vers l'abbé Perron. Elle n'aime pas cet homme froid et intransigeant.

— Voyons, Blanche, approche, ne sois pas gênée, lui dit le Père Ti-Boise.

— Je ne suis pas gênée, j'ai du travail...

— Laisse donc ton travail et viens saluer notre curé.

— Je vois que vous êtes encore enceinte cette année et je vous en félicite, dit le curé Perron. Le reste de la petite famille va bien? Je les bénirai tout à l'heure.

— Oui, dit Blanche, je suis enceinte et plus faible que jamais, j'ai grand peine à faire mes travaux quotidiens. Je tousse beaucoup.

— N'allez pas vous plaindre, malheureuse, le Seigneur vous a bénie en faisant de vous une mère, pensez-y, remerciez-Le.

— Je vais Le remercier pour toute la misère qu'on a aussi, monsieur le curé...

L'abbé Perron s'apprête à réagir mais le Père Ti-Boise suggère à Blanche de retourner à la cuisine, ce qu'elle fait sans tarder. Il invite le curé à s'asseoir dans une belle berçante bien confortable fabriquée par Euclide.

— Elles sont vraiment réussies, les berceuses d'Euclide, dit le Père Ti-Boise, ne trouvez-vous pas, monsieur le curé?

— Mais où se trouve-t-il, Euclide, il n'est pas à la maison?

— Non, il travaille pour le menuisier Hector Bouchard de La Malbaie chez un riche estivant de Pointe au Pic, pour la réparation d'une villa...

— C'est bien...

— C'est payant en plus...

— Mais Euclide ne paraît pas être présent souvent à la maison et ce n'est pas bon pour la vie de famille...

— Je sais, je lui dis souvent... il ne m'écoute pas...

— Vos enfants ne vous ont jamais écouté beaucoup, Père Ti-Boise. Et Arthur? Et Clara?

— Ils ont quitté le foyer paternel, je prie pour eux sans cesse...

— Voilà qui n'est pas suffisant, vous auriez pu agir avec fermeté aussi...

– Pensez-vous qu'il est trop tard ?

– Il n'est jamais trop tard pour satisfaire Dieu, vous le savez, tant qu'il y a de la vie, il doit y avoir de l'espoir.

– Je sais, je sais…

– Je vois tous vos petits-enfants mais où se trouve le jeune Nicolas ?

– Il pensionne à La Malbaie chez son oncle Philippe, le *Nettoyeur Moderne*…

– Il n'aime pas la terre ? Pourquoi ne travaille-t-il pas aux champs avec vous ?

– Comment le retenir ?… je voudrais bien…

– Encore des souhaits, mais pas assez de fermeté, je te le dis, Ambroise, cela te perdra et perdra encore les tiens… je te le dis… Mais tu dois te sentir à l'aise dans cette belle maison neuve ?

– Ah ! Vous savez, Monsieur le curé, je n'aime pas le neuf tant que cela et je ne suis plus très jeune. Et puis tout l'été, ces autos de touristes qui soulèvent la poussière, je ne peux plus rester assis sur ma galerie, parfois on dirait que c'est l'enfer sur terre…

– L'enfer est bien pire que cela, Ambroise, ne demande pas à le voir, continue de demeurer bon pratiquant et catholique fervent… Mais tu as raison, ces autos menacent la paix de nos campagnes. C'est le fameux Forget qui a introduit cette engeance dans notre région, et ce moyen de transport est là pour durer. Il faut pourtant tenir à nos bonnes vieilles calèches, Ambroise…

— Moi, je garderai toujours ma voiture avec mon cheval, ça c'est certain…

— Il faut combattre le changement, Ambroise, de toutes nos forces et prier Dieu, dire le chapelet en famille tous les soirs, des Ave Maria le matin…

— Je fais tout cela, je fais tout cela… monsieur le curé….

Les deux hommes parlent encore quelque temps. Ensuite, le curé procède à la bénédiction de la famille comme prévu. Il donne quelques images saintes aux enfants qui en sont très heureux. Il s'en retourne à sa calèche alors que le vent se lève.

— Tu vois, Ambroise, la chaleur ne va pas durer…

Et ce vent se fait un peu plus fort. Il fera s'éloigner le temps de la canicule. Comme à chaque jour, le vent du changement fait s'estomper des choses du passé, au grand regret du Père Ti-Boise qui ne peut vraiment rien faire contre cela. Est-ce bien le plan de Dieu ou encore celui du diable? Ce n'est pas à lui de le dire, pense-t-il en retournant à la maison.

16

L e train s'arrête à la gare de Saint-Irénée vers midi. Il y a beaucoup de mouvement, des colis et des voyageurs qui arrivent. Démétrius, déjà fort pour son âge, ramasse quelques boîtes afin d'aider Eudore qui, depuis plusieurs jours, fait peu de cas de lui. Avant, il lui prêtait bien plus attention, maintenant il semble froid, distant. Démétrius cherche à savoir ce qui se passe. Lorsque tout s'est calmé quelque peu à la gare et qu'il ne s'y trouve plus personne, il s'approche d'Eudore. Il veut lui parler :

– Papa, je t'aime.

– Laisse-moi, tu sais bien que je ne suis pas ton père.

Démétrius s'inquiète :

– Papa, tu es mon petit papa d'amour...

– Je ne veux pas d'un fils qui s'habille en femme, je pense que c'est ta mère qui t'a rendu fou.

– Papa, mon papa...

Démétrius tente de retenir l'attention d'Eudore, mais le chef de gare le repousse violemment:

— Laisse-moi, je te dis…

Démétrius pleure:

— Oh! Non, papa… je t'aime…

Eudore le frappe au visage:

— Désormais, je me désintéresse de toi, je ne veux plus que tu viennes travailler ici. Tu me fais honte. Démétrius, va retrouver ta mère, elle est aussi folle que toi.

Démétrius ressent une rage soudaine envers ce père de remplacement qui le rejette après lui avoir tellement donné d'attention. Il s'empresse de retourner à la maison. Sa peine est cependant atténuée par un désir naissant, un désir de vengeance. Le gros Eudore a ouvert en lui une blessure profonde. Il pleure mais il va se venger. Il le sait. Il va se venger.

C'est le grand jour. La sage-femme Herméline Gagnon a tout préparé. Blanche va accoucher sous peu. Le Père Ti-Boise est nerveux, même s'il y en a eu souvent, des accouchements, dans la maison des Gauthier. Il reste debout alors que normalement, il est couché depuis longtemps, à dix heures du soir. Euclide n'est pas là. Il a fait savoir qu'il ne rentrera pas cette semaine. Il pensionne à La Malbaie chez son patron Hector Bouchard. Pourquoi n'est-il pas venu retrouver sa femme afin de vivre cet événement avec elle? Le Père Ti-Boise ne comprend pas. Il a pourtant parlé à Euclide la semaine dernière:

– Reste donc plus avec ta femme, avec ta famille.

– Je dois gagner de l'argent, vous le savez....

– L'argent n'est pas tout, Euclide...

Ce dernier lui a lancé un regard courroucé:

– Le père, laissez-moi donc tranquille, je fais ce que je veux.

– Ta femme, Euclide, elle a besoin de toi et tes enfants aussi. Puis la terre paternelle, je suis tout seul pour la travailler.

– Et puis vous allez le rester, jamais je vais m'occuper de cette terre que je déteste et où vous avez mangé de la misère toute votre vie.

– Euclide, ne dis pas ça.

Euclide n'a donc pas vu naître son nouveau fils Raymond. Il ne revient à la maison que sept jours plus tard. Blanche paraît affaiblie. Cette dernière grossesse l'a laissée fatiguée et elle ne peut prendre de repos. Elle tousse. Euclide ne vient près d'elle que pour la pénétrer rapidement. Comme un animal. Il n'enlève même pas ses grandes combinaisons sales. Euclide n'est pas romantique, ne

205

sent même pas bon. Mais Blanche devient enceinte à chaque fois.

Elle fera fi désormais de l'opinion du Père Ti-Boise et du curé Perron : elle entend bien ne plus avoir d'enfant. Même si Raymond est un beau bébé. Même si elle a longtemps espéré qu'Euclide soit heureux avec elle. Maintenant, elle n'y croit plus. Elle ne veut plus jamais y croire. Et si Euclide tente encore de la toucher, d'entrer en elle, elle le frappera, lui donnera des coups. Elle peut encore frapper. Vraiment, elle se sent faible mais elle a toujours su se défendre quand il le fallait. Elle se dit qu'elle préfère finalement qu'Euclide ne soit pas là. Elle se met même à souhaiter qu'il ne revienne plus jamais. Elle le déteste. Non, non, il ne lui fera plus d'autres enfants.

Angelo se rend seul à La Malbaie, sans que Raoul l'accompagne. Il descend à pied la grande côte de Terre-Forte qui le conduit vers le village. Il veut rencontrer l'avocat Morin. Ce dernier est à son bureau. Il n'a pas un regard très invitant. Raymond Morin n'aime pas les étrangers, les immigrants. Surtout pas les Italiens qui, d'après ce qu'il a constaté, se sont plus ou moins intégrés dans la région après la fin de la construction du chemin de fer de Forget, même si certains d'entre eux ont épousé des filles de la région et fondé une famille comme le grand Zaccardelli installé à La Malbaie. Mais il n'aime surtout pas Angelo. Le plus mauvais des Italiens arrivés par ici. De la mauvaise graine, même pire que Raoul qui a été entraîné par lui à une criminalité telle qu'il ne s'en était jamais vu dans la région de mémoire d'homme. Raymond Morin entre dans son bureau avec Angelo qui le regarde avec insistance :

– Je veux vous dire… Raoul… il va trop loin…

– Ce n'est pas toi qui va faire la morale aux autres, tout de même…

– Il veut tuer Eudore Boutin de Saint-Irénée… une idée folle… dangereuse…

– Je ne te crois pas, c'est toi qui penses au mal et tu lui proposes des projets criminels.

– Raoul me fait peur, monsieur…

L'avocat se moque d'Angelo :

– Toi, peur ? Un homme errant, un bandit comme toi, sors de mon bureau, s'il-te-plaît…

Angelo ne comprend pas. Il tente d'expliquer le plan de Raoul mais l'avocat ne l'écoute pas et le conduit vers la sortie. Que peut faire Angelo ? Il se rend à l'Hôtel Hovington et s'entretient avec le propriétaire de l'endroit qui connaît bien Raoul. Georges Hovington conseille à Angelo d'être prudent. Selon lui, Raoul va chercher à se débarrasser d'Angelo dès qu'il saura que l'Italien a parlé à l'avocat Morin. Angelo serait sans doute mieux de quitter la région. Georges Hovington pourrait lui donner un peu d'argent. Angelo veut pourtant retourner une dernière fois à la cabane de la route de Sable, même si l'hôtelier lui dit de ne pas le faire. Angelo va quand même s'y rendre. À ses risques et périls. Il veut dire une dernière fois à Raoul ce qu'il pense de lui. Après, Angelo s'en ira à Montréal et il y retrouvera Clara. Il veut que sa vie de minable criminel prenne fin. Il pense à Clara et cela lui donne à nouveau espoir en la vie.

~

Raoul voit venir Angelo avec amusement. Il a toujours su le contrôler, faire tout ce qu'il voulait avec lui et cela ne changera pas. Angelo entre dans la cabane. Raoul lui fait un beau sourire.

— Toi et moi, nous sommes amis pour toujours.

— Je ne sais pas, Raoul, moi, je veux partir d'ici.

— Voyons, ce n'est pas le temps…

— Je ne veux pas participer à ta vengeance contre le gros Eudore…

— Je ne te parlerai plus de ça.

Angelo paraît rassuré. Il parle de Clara et de son désir de la retrouver. Il dit aussi à Raoul qu'il va quitter la région bientôt.

– C'est le temps de séparer nos chemins, Raoul.

– Retrouver la Clara, je te comprends, mais tu ne sais même pas où elle se trouve...

– Elle est à Montréal. Tu le sais bien.

– Mais Montréal, c'est grand... Angelo... vous aimez trop les femmes, vous les Italiens, vous vous faîtes accroire des choses à leur sujet. Clara doit courir après d'autres hommes... elle ne pense plus à toi.

– Peut-être mais je la trouverai, je l'aime...

Raoul tend une bouteille de whisky à Angelo qui la refuse. Raoul la lui offre à nouveau. Angelo accepte de boire et ils finissent par se saouler ensemble comme à l'habitude. Sous l'emprise de Raoul, Angelo ne sait pas résister. Sa volonté de retrouver Clara reste la même, mais Angelo attendra encore un peu. Il quittera la région plus tard, pense-t-il. Et, au matin, avec Raoul, il s'en retourne braconner comme ils le font à chaque jour depuis bien des années déjà.

Il fait beau, même si l'automne vient de débuter. Le Père Ti-Boise amène Léo dans le verger situé tout au bout de la terre ancestrale. Le petit n'a que sept ans, mais il écoute avec attention toutes les paroles de son grand-père. Ce dernier raconte que les arbres du verger ont été plantés il y a plus de cent ans par François Gauthier, le premier de la famille à s'établir sur cette terre. Par la suite, il y a eu Ambroise, premier du nom, le père du Père Ti-Boise. Ils ont tous voulu conserver la terre intacte, comme un bien précieux pour leurs descendants. Le verger, c'est ce qu'il y a de plus précieux, raconte le Père Ti-Boise. Plus encore que la maison qui a été déplacée, qui ne ressemble plus à celle des ancêtres. Le verger, lui, est resté le même. Le Père Ti-Boise en prend soin jalousement. Il sait que Léo en fera autant. C'est ça, la continuité. C'est pour cela que les Gauthier survivent ici, tout simplement parce que les choses ne bougent pas. Sans cela, le jour où le changement prendra toute la place, la terre familiale risque d'être transformée elle aussi et le verger menacé. Voilà ce que craint par-dessus tout le Père Ti-Boise.

— Vas-tu t'occuper du verger, Léo, comme ton grand-père te le demande ?

— Oui, oh oui, je te le promets.

Le Père Ti-Boise cueille une pomme pour Léo qui la déguste avec joie. Elles sont bonnes, vraiment juteuses. Elles ne sont comparables à aucune autre. Elles appartiennent à la famille. Elles ont pris le goût du fleuve. Elles goûtent la terre d'ici, celle dont l'héritage reviendra à Léo s'il le veut bien. Le petit ne peut pas tout comprendre encore mais le Père Ti-Boise lui accorde déjà toute sa confiance. Il saura protéger Léo même contre Euclide, ce fils infidèle à la terre et qui se nourrit d'idées modernes néfastes. Contre tous les mauvais esprits aussi. La terre, c'est sacré. Léo, lui, comprend toute l'importance de ce verger, ce qu'Euclide n'a jamais voulu reconnaître. Le Père Ti-Boise retourne à la maison avec Léo. L'automne, le temps est changeant. Du changement, toujours du changement. Heureusement, il y a Léo désormais et le Père Ti-Boise croit qu'il sera en mesure de garder son héritage, de conserver les valeurs immuables du passé.

17

Raoul arrive à la gare de Saint-Irénée. En ce matin d'octobre, il n'y a personne. Sauf Eudore et son fils adoptif Démétrius. Ce dernier est à l'extérieur de la gare. Il ne travaille pas et paraît triste. Raoul lui adresse la parole :

– Il fait beau, aujourd'hui, mais c'est plus l'été pour rester dehors comme ça !

Démétrius frémit. Il ne connaît Raoul que de vue. Jamais cet homme ne lui avait adressé la parole auparavant. Démétrius le trouve imposant, beau. Il est vite séduit par Raoul, mais il n'ose pas encore lui parler.

– As-tu perdu ta langue ? Eudore Boutin, ce n'est pas ton père. Tu ne lui dois rien.

– Non, rien…

Il voudrait dire toute sa haine pour Eudore à cet étranger mais Raoul comprend déjà ce qui se passe chez cet adolescent perturbé.

– Eudore, il m'a fait du mal quand j'avais à peu près ton âge…

— À vous aussi…

— Et à bien d'autres, ce n'est pas un homme bon…

— Je sais…

— Il faudra que tout cela cesse…

Démétrius est d'accord avec Raoul, mais ce n'est pas lui qui pourrait se venger d'Eudore. Pas tout seul. Mais peut-être avec le beau Raoul.

— Vous pourriez faire quelque chose à Eudore, le punir, monsieur…

— Moi, je me nomme Raoul Girard et je veux qu'Eudore reçoive ce qu'il mérite…

— Oui, ce qu'il mérite…

— M'aideras-tu pour ça, Démétrius?

Il n'hésite pas un instant. Il veut aider Raoul dans son projet de vengeance. Le gros Eudore lui a fait trop de peine, l'a trop déçu.

— Je vous aiderai, monsieur, si je peux.

— Alors, je te dirai quoi faire bientôt, je reviendrai ici sous peu.

Eudore a vu Raoul en discussion avec Démétrius. Il accourt auprès d'eux.

— Qu'est-ce que tu fais là, maudit pouilleux sale, laisse mon jeune tranquille et quitte les lieux, c'est un endroit public ici, et tu n'as pas ta place à la gare de Saint-Irénée.

Raoul se moque d'Eudore. Il entre dans la gare et observe les lieux. Il voit, tout au fond de l'établissement, une petite pièce en retrait où les colis sont entreposés avant que leurs destinataires ne viennent les chercher. Puis, le matin, il semble bien que personne ou presque ne vienne à la gare et le train n'arrive qu'à une heure de l'après-midi, tel que l'indique un écriteau sur le mur. Eudore a rejoint Raoul :

– Je t'ai dit de t'en aller, Raoul…

Raoul prend alors Eudore par le bras. Il le serre fortement. Eudore se tord de douleur. Raoul se fait menaçant.

– Toi, mon maudit, tu sais ce qui t'attend…

– Je n'ai pas peur de toi. Je vais demander de la protection pour la gare.

– Tu n'en feras rien. Je te ferai perdre ton emploi. Mon ami, l'avocat Morin, est dans le Parti libéral et il va te faire perdre ton emploi. Et puis tu ne seras plus là bientôt, je te dis.

La menace commence à inquiéter sérieusement Eudore.

– Lâche-moi le bras…

– Tu m'as attaqué alors que j'étais faible, moi, je te serre le bras mais tu es un homme. Mais tu n'es pas un homme, tu es un maudit malade, un fou dangereux, un criminel…

– Tu es bien placé pour parler, maudit bandit…

Raoul lâche le bras d'Eudore et il lui dit qu'il reviendra sous peu pour achever ce qu'il doit faire. Démétrius est entré dans la gare. Il s'est croisé les bras en signe de défi envers Eudore.

– Je ne ferai rien pour t'aider, dit alors Démétrius… je te déteste…

Eudore est estomaqué.

– Que dis-tu là, moi qui t'aies consacré une partie de ma vie…

– Tu es un menteur, un méchant…

Eudore veut gifler Démétrius, mais Raoul s'interpose.

– Tu ne frapperas pas cet enfant devant moi.

Eudore demande à Démétrius de retourner à la maison. Il refuse, mais Raoul lui fait signe que oui. Démétrius quitte la gare. Et bientôt Raoul en fait autant. Eudore reste seul, totalement effondré par l'attitude de Démétrius. Il faudra qu'il parle sérieusement à ce garçon. Il le corrigera. Thérèse ne s'interposera pas. Il doit faire quelque chose.

Raoul est content, il a maintenant un allié en Démétrius et il croit que la gare est un bon endroit où commettre le crime dont il rêve depuis si longtemps. Démétrius, quant à lui, se sent bien et comme rassuré. Cet homme puissant, Raoul Girard, l'a protégé. Il ne craint plus rien maintenant. Tant pis pour Eudore si Raoul lui fait du mal. Il l'a bien mérité. Démétrius le pense vraiment. Il ne doute pas que le beau Raoul reviendra bientôt et peut-être qu'il l'amènera avec lui vers la route de Sable où il saura en faire un homme, un bandit peut-être et lui donnera toute cette virilité masculine qu'Eudore n'a jamais possédée. Démétrius deviendra ainsi un homme, pas une femme. Un homme comme Raoul, voilà ce que Démétrius voudrait être. Si seulement Raoul pouvait revenir… le plus tôt possible…

La visite paroissiale du curé Perron s'avère plus difficile que prévu. Partout il est reçu poliment, mais sans plus. Même chez Gilbert Bouchard qui autrefois le considérait grandement, il a senti des réticences, de la gêne. La femme de Gilbert, Pétronille, ne voulait même pas que le curé s'assoit prétextant un travail urgent qu'elle avait à faire au jardin. Décidément, le respect pour le curé de la paroisse n'est plus le même, à Saint-Irénée. L'abbé Perron a aussi obtenu peu de dons en argent, même dans les familles les plus à l'aise de la paroisse.

Parfois, il sent de la terreur dans les yeux de ses paroissiens, quelquefois de la haine et jamais vraiment beaucoup de sympathie. Sauf peut-être chez les demoiselles Clarilda et Marilda qui se sont agenouillées devant leur curé, comme beaucoup de gens le faisaient autrefois. Une habitude disparue ou presque. Le curé Perron ressent une sorte de rébellion, en fait, sourde encore, peut-être, mais présente dans toute la paroisse. Il ne voit qu'une solution pour la contrer définitivement : être encore plus sévère, plus rigide encore sur les principes de la Sainte Église catholique. Mais rien n'est vraiment facile. Chez Ernest le Lièvre, il a bien vu le sourire moqueur du commerçant :

– Ce n'est plus comme avant, monsieur le curé, les gens ont moins peur de vous...

Le curé Perron avait trouvé ce paroissien bien arrogant. Ernest le Lièvre a même demandé au curé de ne pas parler avec Gabrielle. La petite va bien, et Ernest le Lièvre pense qu'il ne faut pas la troubler outre mesure. L'abbé Perron a eu beau rétorquer que rencontrer le curé de la paroisse ne pouvait lui faire de torts, il n'a pu parler à Gabrielle, celle-ci passant devant lui en le regardant avec défi. Le prêtre a littéralement bondi vers celle que plusieurs désignent encore sous le nom de «la possédée de Saint-Irénée», mais Ernest le Lièvre l'a retenu :

– Laissez-la, monsieur le curé...

L'abbé Perron a quitté les lieux en furie. Sans bénir le magasin, sans donner d'images saintes aux plus jeunes. Il a dit à Ernest le Lièvre que le diable était établi dans sa demeure. Ce dernier n'a pas paru s'en inquiéter. Se peut-il que le diable agisse désormais en toute impunité dans sa paroisse, avec la complicité même de ses paroissiens ?

L'affaire est sérieuse, pense le curé. Il est vite allé se réfugier à son presbytère pour prier.

Il y vit seul, désormais, puisque Régina l'a quitté cet automne. Pauvre folle, se dit le curé, il était temps qu'elle parte. Une jeune fille du village vient faire le ménage du presbytère à chaque semaine, et l'abbé Perron fait ses repas lui-même. Avec son jardin, avec les produits de sa ferme dont s'occupe Ligori Tremblay, son bedeau, le curé ne manque pas de nourriture. Et puis la femme de Ligori s'occupe très bien de la Banque. Régina ne lui manque pas. Qu'elle aille au diable, elle aussi, avec tous les infidèles de cette paroisse que le curé Perron ne cessera jamais de combattre.

***

Le mal est dans les yeux et dans le cœur de Raoul Girard. Ce matin-là, il se dirige en calèche vers la gare de Saint-Irénée. Il fait très froid, en ce jour de novembre. Angelo est couché à l'arrière de la voiture. Toute la nuit, il a consommé de l'alcool de contrebande que Raoul lui a versé à flots. Il est saoul mort. Raoul arrive en vue de la gare. Démétrius est là. On dirait qu'il attend Raoul. Et c'est bien le cas puisque depuis son passage le mois dernier, Démétrius a attendu Raoul chaque jour. Il n'a eu de cesse de souhaiter son retour. Eudore a été odieux avec lui depuis le passage de Raoul. Même sa mère, la folle de Thérèse, a appuyé Eudore et a sermonné Démétrius. Sa vie est devenue une sorte d'enfer, à ses yeux. Alors, il attendait Raoul qui lui dit :

— Il faut que tu fasses sortir Eudore de la gare...

— Il n'est pas là, il est encore à la maison, mais je peux t'ouvrir la porte, j'ai les clefs...

Raoul se dirige vers la gare en soutenant Angelo qui ne se rend pas compte de ce qui se trame. À l'intérieur, Raoul entre directement dans la pièce qu'il avait identifiée auparavant, à l'arrière, en retrait. Il dépose Angelo par terre. Il demande à Démétrius de le dévêtir, mais le petit hésite.

— Allez, vas-y, ce n'est qu'un sale Italien.

Démétrius le trouve pourtant beau. Angelo n'oppose aucune résistance. Il est torse nu désormais et étendu sur la table où se trouvent quelques colis pas encore réclamés. Il s'y endort paisiblement.

— Laisse-le là, Démétrius. Va m'attendre à l'extérieur, tu m'avertiras si quelqu'un vient... mais Eudore, laisse-le entrer dans la gare.

Raoul a vu qu'Eudore arrivait. Il se trouve bientôt dans la gare et demande à Raoul de quitter les lieux sans tarder...

— Moi, partir, tu sais bien que non. Je t'ai amené un ami, un Italien, un homme comme tu les aimes.

Eudore tressaille. Il voit Angelo qui repose sur la table, à moitié nu.

– Je sais bien que tu as envie de lui, je vais t'aider, tu pourras lui faire tout ce que tu veux… Je t'aiderai…

Eudore ne croit pas Raoul. Il sait que tout cela est un piège et pourtant, il se dirige vers la pièce où le pauvre Angelo se trouve. L'homme est magnifique. Eudore le voit bien. Et il frémit de tout son être. La tentation est là, comme durant toute sa vie. Il a envie de caresser cet Italien de malheur. Mais soudain, Raoul le prend par le cou et le serre. Eudore ne peut pas se retirer de cette étreinte. Et voilà que les coups pleuvent sur le chef de gare. Au bas du corps, à la tête, et Eudore rebondit sur le mur. Le gros homme s'effondre par terre. Raoul le frappe encore avec ses pieds, au ventre et puis au sexe. Avec puissance, avec une rage infinie :

– Salaud, salaud, tu ne feras plus de mal à personne…

Eudore gît mort sur le plancher. Bien mort. Raoul n'a pas manqué son coup. Il a enfin tué Eudore Boutin tel qu'il le voulait depuis tant d'années. Il s'empresse alors de réveiller Angelo sur qui le sang d'Eudore a jailli.

– Tu vois, le gros Eudore est mort, et c'est toi qui l'a tué, Angelo, tu seras toujours mon ami, je te remercie…

— Tué Eudore, moi ? Angelo ne comprend plus rien.

Raoul quitte les lieux où Angelo sommeille encore. En sortant, il parle à Démétrius :

— Tu devras dire que tu as tout vu et que c'est l'Italien…

— L'Italien…

— Que c'est l'Italien qui a tué Eudore…

— Tué Eudore…

— Oui et moi, je n'étais pas là. Tu le diras, tu es mon ami ou sinon, c'est toi qui va mourir après Eudore…

Raoul quitte les lieux et s'en retourne chez lui. Démétrius entre dans la gare où il découvre Eudore gisant par terre et Angelo qui est toujours confus :

— Je n'ai pas tué Eudore, pas tué…

Démétrius comprend toute l'horreur de la situation. Il a peur. Il voudrait pleurer. Il n'a jamais voulu la mort d'Eudore. Il pensait que Raoul le frapperait durement et le corrigerait sévèrement. Sans plus. Et puis que Raoul le conduirait chez lui. Mais ce dernier l'a laissé ici, dans cette gare où il a commis un meurtre affreux. Angelo s'informe auprès de Démétrius :

— Qui a tué Eudore ? Toi, tu le sais, petit…

— C'est vous, c'est l'Italien, c'est Angelo, il a tué mon père, c'est l'Italien…

Démétrius sort de la gare en criant :

– C'est l'Italien qui a tué, c'est l'Italien…

Quelques passants alertés viennent aussitôt à la gare. Ils constatent la mort d'Eudore et voit bien Angelo, torse nu et recouvert de sang. Et même si Angelo nie tout, les cris de Démétrius ne cessent pas :

– C'est lui qui a tué, c'est Angelo, c'est l'Italien, j'ai tout vu…

18

Les religieuses n'en reviennent pas. Il y a longtemps qu'elles accueillent des jeunes filles enceintes à l'hôpital, mais cette fois, il s'agit d'une femme d'un âge beaucoup plus avancé. Ce n'est vraiment pas fréquent. De plus, la dame proche de la quarantaine ne vient pas de la région de Montréal et elle ne veut fournir aucune information sur sa provenance. Elle pleure et répète qu'elle a honte, tellement honte. Elle ne veut pas parler aux religieuses. Pas un mot. Les religieuses demandent à Clara d'aller la voir. Peut-être pourra-t-elle en tirer quelque chose. Clara reste sans voix lorsqu'elle reconnaît la dame :

— Mademoiselle Régina Murray...

Celle-ci prend peur, s'agite, cherche à quitter son lit et même l'hôpital.

— Clara Gauthier, oh! non... oh! non... je suis venue ici pour éviter le scandale...

— Calme-toi, Régina, je ne suis pas ici pour te juger...

Régina semble se calmer. Elle tombe dans les bras de Clara et pleure… pleure abondamment…

– Régina, tu es en sécurité ici. Ce n'est pas moi, Clara Gauthier, la rejetée et la damnée de Saint-Irénée qui te jugeras… tu le sais bien…

Enfin rassurée, Régina se redresse et dit haut et fort :

– C'est lui, le responsable, je peux te le dire, Clara, c'est lui…

– Lui, mais qui, lui ?

– C'est le curé Perron, c'est lui le père de mon enfant.

Clara est sidérée. Puis se reprend. Cela ne l'étonne pas, pense-t-elle alors, ce curé est un véritable monstre, un être totalement abject.

– C'est lui. Clara, il y a longtemps qu'il me prend, souvent par surprise, la plupart du temps contre ma volonté. Il me prend durement, me blesse parfois, mais jamais par la grâce de Dieu je n'ai été enceinte…

– Tu aurais pu te protéger de lui, le quitter, le dénoncer…

– Où serais-je allée, dis-moi ? Il m'a toujours secourue, autrement…

– Secourue ? Voyons, Régina…

– Mais cette fois non. Dès qu'il a su que j'étais enceinte, il m'a rejetée, sans aucune hésitation. J'ai voulu lui dire qu'il était le père, mais il ne m'a pas écoutée. Il m'a ordonné de quitter son service, de partir de la paroisse. J'étais un objet de scandale, me disait-il. Et puis, il a parlé fort, me disant de prendre le train le plus rapidement possible vers Québec où ailleurs et qu'il ne voulait plus me voir de toute sa vie. Je suis partie. À Québec, une de mes tantes m'a accueillie, puis m'a suggéré d'aller à Montréal pour accoucher, afin de faire taire toutes les rumeurs et te voilà, Clara... Tu ne parleras pas.

– Non... Non... Ne t'agite pas trop. Tu dois être calme.

Clara réalise que Régina est à la toute veille d'accoucher. Elle est grosse et sa santé semble chancelante.

– Tu pourras avoir ton enfant en paix, ici, personne ne saura rien...

– Clara, dis-moi, je ne veux pas donner mon enfant, je veux le garder. Dis aux sœurs que je veux garder mon enfant... je travaillerai, je resterai à Montréal, mais je veux garder mon enfant... mon enfant...

Régina s'endort enfin. Clara va s'occuper d'elle. L'accouchement, sans être facile, se déroule normalement, et Régina met au monde un beau garçon de huit livres. Le fils de l'abbé Perron. À sa sortie de l'hôpital, Régina tient son fils dans ses bras, Clara ayant convaincu les religieuses de le lui laisser. Ces dernières ont longuement hésité, trouvant Régina perturbée et plutôt maladive.

Clara a invité Régina à habiter avec elle pour un temps, ce qui anime de belle façon le petit logement de Clara, qui s'attache de plus en plus à Régina et à son fils. Le petit est si charmant. Il ne sera pas comme son père, pense Clara, il sera bon et elle espère qu'il vivra loin des terreurs de la maudite Église catholique. Il a cependant fallu le faire baptiser, les religieuses se montrant intraitables sur ce point. Il est indiqué sur le registre que l'enfant est né de père inconnu.

Régina se remet vite et bien de l'accouchement. Elle commence même à faire des ménages chez de riches propriétaires de l'ouest de Montréal qui apprécient sa propreté et sa minutie. Elle est par la suite engagée à titre de commis dans une banque, un emploi sur mesure pour elle qui a de l'expérience dans ce domaine. À Montréal, personne ne s'inquiète de son statut de mère célibataire. Elle se montre d'ailleurs discrète. Et demeure toujours amie avec Clara. Elle habite un logement non loin de celui de Clara, sa protectrice, à qui elle sera toujours reconnaissante. L'enfant grandit ainsi en paix. Personne n'en sait rien à Saint-Irénée. Régina se promet de détourner son fils de l'Église catholique et de ne jamais lui parler de son père.

Au Palais de justice de La Malbaie, le dénommé Angelo Di Camillo, immigrant sans statut d'origine italienne, a été formellement accusé du meurtre d'Eudore Boutin, chef de gare de Saint-Irénée. Il a été difficile de trouver un avocat pour le défendre. Finalement, un nouvel arrivant, débutant dans la profession et résidant à Baie-Saint-Paul, un certain Paul Danais, a accepté la cause. Il n'est pas très expérimenté, ni très déluré. Les gens se permettent même de se moquer de lui :

– Il va finir à l'hôpital de fous de Baie-Saint-Paul, cet avocat, disent les gens méchamment... Il n'est pas tout à lui pour avoir accepté de défendre ce maudit Italien...

Personne n'aimait vraiment Eudore Boutin. En fait, c'était carrément le contraire : tous le détestaient. Toutefois, le fait qu'un étranger, un Italien, ait possiblement tué un homme de la région, avait déchaîné beaucoup de rancœur dans les environs. Plusieurs sont maintenant d'avis que la sécurité de la population est menacée par ces nouveaux arrivants et qu'il faut leur barrer la route, les empêcher d'immigrer au pays. Surtout des hommes sales comme cet Angelo, des itinérants, des voleurs, des bandits.

La Couronne a chargé son tout nouveau procureur, l'avocat Raymond Morin, pour mener cette cause. Les preuves sont accablantes, surtout qu'Angelo se trouvait encore sur place. De plus, le témoignage accablant de Démétrius Boutin confirme que l'Italien a tué Eudore. Tout le monde s'entend pour dire que le procès ne sera pas long. Et qu'il faut pendre ce maudit Italien de malheur!

Pourtant, le procureur Raymond Morin sait que c'est Raoul Girard qui a tué Eudore. Ce dernier lui a d'ailleurs tout avoué. La population en général a aussi entendu Raoul, ivre ou à jeun, affirmer qu'il tuerait Eudore un jour ou l'autre. Personne toutefois n'en fait mention. Tout le monde a peur de Raoul. Et puis Raoul vient de la région, il n'est pas un immigrant, lui… comme ce sale Angelo.

L'Italien semble bel et bien condamné à l'avance par les faits et par la voix du peuple. Qui pourrait l'aider? Il ne voit personne. Clara, peut-être, mais elle ne sait pas ce qui se passe, n'a sans doute pas entendu parler de ce procès. Qui pourra lui dire? Angelo ne connaît pas son adresse. Il veut pourtant faire punir Raoul, son mauvais compagnon, ce faux ami menteur et criminel. Raoul n'a pas de cœur. Il est dangereux. Il peut tuer encore. Mais Angelo reste seul, abandonné, dans son petit cachot de la prison de La Malbaie.

Thérèse Boutin a perdu son mari dans ce terrible meurtre. Elle est effondrée. Non pas tellement à cause d'Eudore qu'elle n'aimait pas et qui peut se permettre de reposer en paix même après avoir commis tant de méfaits durant toute sa vie. Sans doute aurait-il pu connaître une mort moins atroce, moins affreuse, mais il a récolté ce qu'il a semé et Thérèse le sait plus que quiconque. Ce n'est donc pas tellement à cause d'Eudore qu'elle pleure sans cesse, mais surtout lorsqu'elle constate que le mauvais esprit de son défunt mari se trouve maintenant dans son fils Démétrius. Elle n'aurait jamais dû demeurer avec Eudore après son accusation. Elle a été faible, encore une fois et elle le regrette. Elle a laissé Démétrius entre les mains d'Eudore et, aujourd'hui, elle en paie le prix.

Elle sait que Démétrius ment et que ce n'est pas l'Italien qui a tué Eudore. Mais Démétrius s'entête et ne veut pas changer son témoignage. Thérèse lui répète qu'un faux témoignage est une chose grave qui peut lui occasionner de sérieux ennuis. Il ne change pourtant pas d'avis. Et ne veut plus parler à sa mère. Il travaille encore à la gare avec le remplaçant d'Eudore, un jeune homme de Saint-Irénée plutôt déluré et nommé Pierre Fortin qui s'acquitte de la tâche avec efficacité. Démétrius lui voue une admiration sans borne. Il s'entend bien avec lui. Mais pas avec sa mère, et la relation entre eux s'envenime.

Thérèse ne sait plus quoi faire. Elle a besoin d'aide. Sa décision est prise : elle va demander à son amie Clara Gauthier de revenir à Saint-Irénée. Clara ne pourra refuser lorsqu'elle saura que la vie de son Angelo est en jeu. Thérèse lui écrit aussitôt et souhaite que Clara réponde sans tarder. Elle pourra venir vivre avec elle. À deux, elles seront plus fortes, sans aucun doute. Elle attend la réponse avec impatience... mais après plusieurs jours, Clara n'a toujours pas donné signe de vie...

Le train entre en gare à Saint-Irénée à quatre heures de l'après-midi. Il fait noir, c'est la fin de l'automne. Déjà, il a neigé sur les montagnes de Charlevoix. L'hiver frappe à la porte. Pierre Fortin, dans son habit de chef de gare, attend sur le quai, suivi de Démétrius. Il est habile, Démétrius, il est habitué d'accueillir les visiteurs, d'aller chercher leurs bagages. Pierre Fortin est heureux que Démétrius l'aide à mieux remplir ses nouvelles fonctions.

Une femme quitte le dernier wagon du train. Elle ne semble ni riche ni pauvre et ne paraît pas être quelqu'un de la paroisse. C'est pourtant Clara Gauthier qui revient vivre à Saint-Irénée. Elle s'étonne du jeune adolescent qui prend rapidement ses bagages. Elle ne le connaît pas, et lui non plus ne sait pas qui elle est. En fait, Clara a quitté la paroisse un peu après la naissance de Démétrius et n'est jamais revenue depuis dans son village natal. Il y a presque quinze ans déjà. Elle se doute bien qu'il s'agit de Démétrius puisque son amie Thérèse lui a dit qu'il travaillait à la gare. Elle engage la conversation avec lui :

— Qui es-tu, jeune homme ?

— Vous n'êtes certainement pas de la paroisse, madame, tout le monde me connaît par ici. Je suis Démétrius Boutin...

— Le fils de l'ancien chef de gare...

— Oui, vous en avez entendu parler par les journaux ?

— Un peu, on écrit beaucoup d'articles sur le sujet...

— Je sais mais, madame, est-ce que je transporte vos bagages auprès du charretier ?

— Oui, s'il-te-plaît.

C'est un habitant de Saint-Irénée qui conduit la calèche. Lui, il reconnaît Clara.

— Mais c'est Clara Gauthier, la fille du Père Ti-Boise, ça fait longtemps que personne t'a vue par icitte, toi, ma grande...

— Je ne suis pas si grande et puis laissez-moi monter dans votre voiture avant de commencer vos discussions…

— Aille ! Tu fais ta péteuse de la ville, maintenant…

Démétrius a bien entendu le nom, Clara Gauthier, la fameuse amie de sa mère. Viendra-t-elle habiter avec Thérèse ? Démétrius s'inquiète de la venue de cette intruse. Il se souvient qu'Eudore Boutin lui a raconté ses amours mouvementées avec Angelo, l'Italien sale. Elle revient certainement pour le défendre, pour s'impliquer dans le procès. Démétrius tente d'entendre si elle demande au charretier de la conduire chez son père Ti-Boise Gauthier ou ailleurs :

— Monsieur Savard, je vais au presbytère de Saint-Irénée…

— Au presbytère, Clara, es-tu devenue religieuse ? Avant, tu l'étais pas du tout il me semble avec… ton Italien…

— Je vous demande de vous taire et de me conduire…

— D'accord, d'accord, madame…

Au presbytère ? Démétrius ne comprend pas. Il n'a pas le temps d'y penser davantage, Pierre Fortin le pressant de venir le retrouver, car il y a d'autres passagers qui ont quitté le train. C'est un gros voyage et ils auront une soirée occupée avec l'arrivée de nombreux colis. Il est vrai que le temps des Fêtes est proche, et que les paroissiens de Saint-Irénée ont déjà commandé des effets par catalogue et surtout de la bonne boisson forte pour se rincer le gosier à Noël et au jour de l'An.

~~~

Clara quitte la calèche en précisant clairement qu'elle n'a pas besoin que le charretier l'attende. Elle constate que rien n'a changé à Saint-Irénée, ce village encore et toujours habité par des personnes idiotes ne cherchant qu'à connaître la vie des autres pour alimenter les commérages. Rien n'a changé, c'est certain, on voit encore les mêmes maisons, pas ou peu rénovées, dans le style de l'ancien temps. Seule l'église lui apparaît différente à la suite des réparations faites à l'époque du curé Gravel. Clara se doute bien que ce n'est pas le curé Perron qui a favorisé cela, lui, il est comme son père, le pauvre Ti-Boise, il ne veut aucun changement. Mais Clara trouve que ces réparations ont amélioré la vieille église de bois qui faisait pitié à voir. Par ailleurs, le presbytère n'a rien de bien attirant. Il n'a pas du tout été rénové. Il est triste à regarder, pense Clara. Il n'y a pas d'éclairage à l'intérieur. Elle frappe tout de même à la porte, et c'est le curé Perron qui vient lui-même répondre :

— Que voulez-vous, madame, est-ce pour recevoir le sacrement du Pardon...

— Moi, monsieur le curé, je n'ai rien à me faire pardonner, c'est plutôt vous...

— Impertinente ! Comment osez-vous...

Il reconnaît Clara Gauthier :

— Tu n'entre pas ici, vaurienne...

Clara pousse la porte :

— Je vais entrer ou je ferai un scandale à l'extérieur...

— Tu n'as pas changé, je vois bien...

— Vous non plus, je le sais bien...

Il l'invite finalement à s'asseoir, curieux de savoir ce que cette folle de Clara Gauthier a derrière la tête en venant le relancer jusqu'ici, à son presbytère :

— Tu viens pour ton Italien, eh bien il est en prison et il y restera. Tu ne pourras plus commettre de luxure avec lui...

— Cela reste à voir. Mais je ne suis pas venue ici pour ça mais pour vous parler, car je sais...

— Tu sais quoi ?

— Pour Régina, votre servante, vous avez un fils. Régina s'en occupe bien, il est avec elle...

— Un fils, Régina a gardé son enfant...

— Oui, votre fils...

— Tais-toi, malheureuse, tu parles à un homme

de Dieu… Cette sotte de Régina n'a pas pu garder cet enfant…

– Oui, elle a gardé votre fils, je vous le dis, et si vous tentez de me nuire, de nuire à Angelo, toute la paroisse saura… je dirai tout et Régina dira tout aussi…

– Misérable, sors d'ici immédiatement !

Le curé prend un balai et menace Clara.

– Je ne vous crains pas, salaud, méchant homme, frappez-moi et je vous dénoncerai…

– Sale prostituée, je te ferai mettre en prison aussi, tout autant que ton Italien. Vous y croupirez tous les deux et c'est l'enfer qui vous attend par la suite….

– L'enfer, c'est vous, monsieur le curé Perron, je vois l'enfer devant moi.

– Je n'ai pas peur de toi, Clara, tu ne me feras pas de chantage…

– Je n'ai pas peur non plus, et vous répondrez de vos actes. Je ne lâcherai pas prise. Je vous le certifie devant Dieu même si Dieu, je le sais bien, n'existe pas. Rien ne me fera taire.

Clara quitte le presbytère et le curé Perron, rouge de colère, vacille dangereusement. Son cœur a failli le lâcher. Il veut pourtant vivre encore pour s'assurer que cette Clara Gauthier soit punie. Comme elle le mérite. Avec ses mensonges, avec sa haine de Dieu. Elle répondra de ses actes de pécheresse, se jure le curé Perron.

19

Décidément, plusieurs personnes sont descendues du train, ce soir. Des gens étranges, comme cette Clara Gauthier, pense Démétrius, et aussi ce monsieur bien mis, d'une cinquantaine d'années. Un homme au regard sévère et très instruit, à ce qu'il semble. Il s'est informé à Pierre Fortin, le chef de gare, au sujet du meurtre d'Eudore. Il a visité la gare et a regardé un peu partout. Démétrius est intrigué par cet inconnu qu'il trouve pour le moins bizarre :

— Vous avez beaucoup de questions, monsieur, seriez-vous journaliste ?

— Oui, je le suis, au journal *La Presse* de Montréal, mon nom est Alcide Maltais… je viens pour assister au procès d'Angelo Di Camillo. Mais toi, est-ce que tu ne serais pas le fils d'Eudore Boutin, par hasard ?

— Oui, mais je n'ai pas le droit de parler du meurtre, surtout pas à un journaliste…

— Je te comprends bien, je n'ai d'ailleurs pas l'intention de te questionner.

Puis s'adressant à Pierre Fortin :

— Connaissez-vous un dénommé Ernest le Lièvre, commerçant, je voudrais aller chez lui, est-ce loin de la gare ?

— Au non, pas loin, juste en haut de la côte. Voulez-vous qu'un charretier vous y conduise ?

— Non, pas tout de suite. Est-ce bien chez Ernest le Lièvre qu'habite la jeune Gabrielle Tremblay...

— Oui, mais personne ne parle d'elle dans la paroisse, il vaut mieux pas, interrompt Démétrius...

— Eh bien, mon petit, moi je lui parlerai si je le désire...

Puis se tournant à nouveau vers Pierre Fortin :

— Est-ce qu'un charretier peut me conduire à l'Hôtel Charlevoix de Saint-Irénée-les-Bains...

— Pas besoin, monsieur, c'est en face de la gare, il faut simplement traverser la rue.

— Voulez-vous que je prenne votre valise et que je vous accompagne ? demande Démétrius.

— Non, je peux m'y rendre seul et je suis bien capable de porter ma valise sans l'aide de personne.

L'étranger quitte enfin la gare. Démétrius est inquiet. Encore un autre pour s'intéresser au procès et puis, que veut-il savoir au sujet de la possédée ? Tout ça n'augure rien de bon, pense Démétrius.

Clara descend la côte du village pour se rendre chez Thérèse où elle a l'intention d'habiter au moins pour quelque temps. Elle a fait ses adieux aux religieuses de l'hôpital. Elle a quitté Montréal pour de bon, pense-t-elle. Il lui en a fallu, du temps, pour se décider. Toute une année, en fait. Elle a bien reçu la lettre de Thérèse mais elle n'a pas voulu y répondre trop vite. Ensuite, elle a négligé la chose.

Clara était heureuse à Montréal, alors pourquoi replonger dans son passé et dans les drames vécus à Saint-Irénée? C'est qu'un jour, elle a vu dans un journal que le procès d'Angelo Di Camillo commencerait le 4 décembre 1932. C'est à ce moment qu'elle avait décidé d'agir. Pour elle, Angelo ne peut être coupable. Elle veut le faire acquitter à tout prix.

Il fait froid. Le curé Perron a été mis à sa place, croit-elle. Avant de partir de Montréal, Clara a averti Régina qu'elle aurait sans doute besoin d'elle pour assouvir sa vengeance. Régina n'hésitera pas à venir à Saint-Irénée, s'il le faut. Mais surtout, Clara doit questionner cette petite peste de Démétrius. Il finira bien par avouer la vérité. Elle frappe à la porte de la maison de Thérèse Boutin qui ne savait rien de la venue de Clara. C'est toute une surprise pour elle :

– Clara, Clara, je suis si heureuse de te voir, je me sens mieux. Tu n'as pas changé, entre, entre...

Les deux amies s'embrassent. Se retrouvent après tant d'années.

– Tu ne quitteras plus la paroisse, maintenant, Clara, tu resteras avec moi...

Mais Démétrius entre à ce moment dans la maison. Son visage est sinistre. Il a tout entendu et dit à sa mère :

– Moi, je suis ici et Clara Gauthier, la salope, ne restera pas dans la maison de mon père, certain...

Thérèse prend Démétrius par le bras :

– Va dans ta chambre, Clara est mon amie, elle restera tant qu'elle veut.

Clara entend rester, surtout qu'elle sait que l'accusation contre Angelo repose principalement sur le témoignage de Démétrius. Elle va le contraindre à dire ce qu'il sait vraiment, et Thérèse sera là pour l'aider. Rien ne sera facile, Clara le sait bien, mais elle ne lâchera pas : elle veut l'acquittement de son Angelo.

Clara attend dans l'entrée de la prison de La Malbaie. Le gardien, Henri Chaperon, semble inquiet pour Angelo :

– Il ne mange pas beaucoup. Ma femme lui fait pourtant des plats succulents. Il n'a pas un bon moral. Il a beaucoup maigri.

Clara demande à le voir. Elle est conduite au deuxième étage où, devant elle, se présentent plusieurs cachots étroits et sombres. Et là, soudain, elle aperçoit son amour. Il ne peut pas sortir de sa cellule, le gardien est intraitable là-dessus. Clara doit lui parler devant des barreaux sinistres qui l'empêchent de serrer dans ses bras celui qu'elle aime tant.

– Clara, Clara, *mi amore,* tu es venue...

Angelo éclate en sanglots. Il n'est plus l'homme vibrant et sauvage d'autrefois. Il a vieilli et ne paraît pas au meilleur de sa forme:

– Clara, Clara, viens me sauver, *mi amore,* ma *bella*...

Il tente de l'embrasser mais c'est impossible, les barreaux sont trop serrés. Le gardien lui indique qu'il ne doit tenter aucun rapprochement physique avec Clara.

– C'est qu'il peut être dangereux, dit le gardien Chaperon.

Angelo, dangereux... Clara réagit avec force:

– Angelo est mon amour, monsieur Chaperon, il n'a jamais été dangereux...

– Je veux bien vous croire, ma petite dame, mais il est accusé de meurtre.

Clara prend la main d'Angelo...

– Je te sortirai d'ici, je te le jure, je sais que tu n'es coupable de rien.

– Non, de rien, Clara, c'est Raoul, Raoul Girard...

– Je sais, je sais...

Le geôlier Chaperon veut mettre fin à la rencontre :

– Il vaut mieux le laisser, ma petite dame, je crois qu'il est trop énervé. Je ne l'ai jamais vu comme ça.

– Laissez-moi lui parler, ôtez-vous, laissez-moi.

Monsieur Chaperon la ramène vers la sortie de la prison avec toute la force qu'il peut. Elle se débat mais il sait comment la repousser. Angelo crie avec force :

– Clara, Clara, je t'aime, reviens-moi...

Clara est invitée à quitter les lieux. L'épouse de monsieur Chaperon lance à son tour, offensée :

– Comment pouvez-vous faire de telles démonstrations pour un prisonnier comme cela, n'avez-vous donc aucune retenue, madame ?

– Vous n'avez encore rien vu. Quand Clara Gauthier défend son amour, elle devient bien plus féroce que cela. Vous verrez.

Clara s'en va, en furie. La mère Chaperon continue de balayer l'entrée de la prison et s'étonne qu'une fille de la région tienne tellement à l'amour d'un Italien aussi criminel et sale.

– Elle doit être folle, c'est certain, la pauvre fille…

⁓

Thérèse est restée seule à la maison avec Démétrius pendant que Clara se rendait à la prison pour voir Angelo. Les derniers jours ont été difficiles. Démétrius n'a pas cessé d'insulter Clara ou de s'enfermer dans un silence inquiétant. Il se lève pour aller à la gare y retrouver Pierre Fortin.

– Non, Démétrius, tu restes ici. Tu vas me parler.

– Te parler, non, non, je te renie, tu n'es plus ma mère, je vais aller vivre chez Pierre Fortin, je quitterai la maison…

– Tu ne feras rien de tout cela. Tu vas me parler. Dis-moi sincèrement qui a tué Eudore… c'est Raoul, bien sûr…

– Non, c'est Angelo…Angelo…

– Tu mens…

Elle prend Démétrius par le bras et le regarde profondément dans les yeux. Malgré tout, au plus profond de son cœur, Démétrius aime sa mère et relâche enfin sa résistance :

– C'est Raoul, oui, c'est Raoul. Mais il m'a fait jurer de dire que c'est Angelo…

⁓

– C'est un grave mensonge, Démétrius...

– Il va me tuer, sinon...

– Je te protègerai, nous le ferons surveiller et puis il ira en prison.

– Non, je dirai que c'est Angelo et c'est tout.

Démétrius s'entête et les efforts de sa mère pour lui faire entendre raison ne servent à rien. Démétrius veut maintenir sa version mensongère. Thérèse ne le retient plus. Démétrius se rend à la gare où il retrouve un Pierre Fortin bien affairé encore aujourd'hui.

– Demain, c'est le procès. Tu ne seras pas là pour m'aider, Démétrius, je pense...

– Non, je vais témoigner demain. Je ne changerai pas mon témoignage... c'est Angelo...

– Témoigne selon ta conscience, Démétrius, seulement selon ta conscience...

– Alors, je dirai que c'est Angelo, c'est Angelo...

Le procès d'Angelo Di Camillo a fait grand bruit. Aussi, au matin du 4 décembre 1932, la salle d'audience du Palais de justice de La Malbaie est bondée. Plusieurs curieux doivent demeurer debout à l'arrière et de nombreux autres ne parviennent pas à trouver de place sur les lieux. Le juge se nomme Robert Rochette. Il a une solide expérience et connaît la région de Charlevoix, étant né à La Malbaie. Son père a même autrefois été député libéral du comté de Charlevoix à Québec. C'est un homme d'une grande culture, ce juge Rochette. Calme et plutôt tempéré, il a la réputation d'être patient et méthodique.

L'Italien Angelo Di Camillo vient de s'asseoir au banc des accusés. Au premier rang, il reconnaît Thérèse Boutin accompagnée de Clara et, avec elles, ce maudit Démétrius. En fait, Angelo ne voit que Clara, la belle, la vibrante. Elle peut l'aider, elle va l'aider. Il se réfugie en pensée auprès d'elle, se glisse dans ses bras. Cette sensation lui aide à tenir bon devant cette foule hargneuse. Le procès va débuter.

Le juge Rochette donne d'abord la parole au représentant de la Couronne, maître Raymond Morin. Ce dernier se lance dans une diatribe contre Angelo, en invitant l'assemblée à voir en lui ce qu'il est vraiment, un mauvais homme, un hors-la-loi. L'avocat rappelle qu'Angelo a un statut incertain au Canada, qu'il a peu travaillé pour le bien de la société, préférant se dissimuler dans la forêt pour vivre de rapines et des fruits de la criminalité. Et puis maître Morin insiste encore plus sur son statut d'étranger, d'homme venu d'ailleurs, d'Italien à la réputation douteuse. Il le répète :

– Ce n'est pas un homme honorable que vous avez à juger, dit-il en s'adressant au jury composé de citoyens peu instruits de la région, mais un homme reconnu comme criminel et un étranger qui n'a pas été suffisamment réprimé à ce jour. Il est donc temps de regarder en face la situation inquiétante de celui qui a enlevé la vie à un homme de ce pays, certes assez peu recommandable lui-aussi, mais qui néanmoins semblait repenti.

La présentation de l'avocat Morin fait grand effet. C'est un tribun remarquable, à la voix forte, qui peut user d'un ton dramatique impressionnant. Tout à l'opposé, maître Paul Danais suscite plutôt la gêne dans l'assistance. Tous constatent son manque de préparation, ses arguments sans impact et surtout sa confusion. Il parle sans arrêt de l'origine d'Angelo :

– Oui, c'est un Italien, un Italien n'est pas nécessairement mauvais, il faut éviter de trop mal juger les étrangers. Mais, il est vrai que c'est un Italien…

Dans la salle, plusieurs se moquent de l'avocat de Baie-Saint-Paul. Quelques-uns murmurent même que ce pauvre Italien aurait quand même mérité un meilleur défenseur. Le procès s'annonce inégal, ce qui déçoit les personnes présentes qui s'imaginent déjà que la cause risque d'être traitée trop rapidement à leur goût. La première journée du procès est levée sans qu'aucun témoin ne soit entendu et après que le juge Rochette ait signalé aux avocats que l'origine ethnique de l'accusé ne doit pas servir de prétexte pour appuyer les propos de la défense comme celui de l'accusation. Il dit clairement, dans un plaidoyer dénonçant le racisme, que l'accusé doit être vu comme un citoyen ordinaire et ce, même s'il n'est pas originaire du pays.

Le deuxième jour, les premiers témoins sont appelés à la barre. Il y a d'abord les deux hommes qui ont entendu crier Démétrius et qui ont constaté qu'Angelo se trouvait devant le cadavre d'Eudore, à l'arrière de la gare. Leurs témoignages semblent accabler Angelo et maître Morin ne leur pose pas beaucoup de questions. Maître Paul Danais ne parvient pas à questionner très adroitement un des témoins qui pourtant, de lui-même, émet une simple remarque qui étonne le juge et la foule:

– Oui, l'Italien, il était en bedaine, je veux dire qu'il n'avait pas sa chemise sur le dos et puis nous étions là, et il ne tentait pas de se sauver. Il agissait comme un homme qui n'avait rien à se reprocher. Et puis pourquoi qu'il aurait enlevé sa chemise pour tuer Eudore? Ça, je ne l'ai jamais compris.

L'avocat Morin n'ose pas relever ce fait en pensant aux tendances bien connues d'Eudore Boutin. L'Italien pourrait paraître victime du chef de gare et tenter de plaider la légitime défense. Maître Paul Danais, lui non plus, ne pose aucune question sur ce détail qui aurait pu servir la cause de son malheureux client. La deuxième journée se termine sans que l'on entende d'autres témoins.

20

Thérèse a demandé à ce que Démétrius loge ailleurs, à tout le moins pour la durée du procès. Elle ne peut plus le supporter. Elle a supplié Ernest le Lièvre, lui si habile avec la petite possédée, de le prendre pour un certain temps. Il a refusé catégoriquement. D'autres familles de la paroisse ont aussi refusé, même en retour de sommes d'argent appréciables. Thérèse s'est même rendu voir le curé Perron afin qu'il intercède auprès des Frères Maristes de La Malbaie pour qu'ils prennent Démétrius en pension au moins pendant que le procès se déroule. Le curé n'a jamais voulu aider Thérèse.

Heureusement, le jour même où le procès s'ouvrait, Pierre Fortin a accepté d'héberger Démétrius dans la petite maison qu'il habite le long du fleuve. Ce sera temporaire. Il aime bien Démétrius et ce dernier est tout heureux d'aller vivre avec celui qu'il admire tellement. Thérèse se sent soulagée mais bien vite, Démétrius connaît une amère déception. Pierre Fortin, attentif envers lui à la gare, ne lui accorde pas grande importance à la maison. Il préfère boire et recevoir des filles. Il passe la soirée dans sa chambre avec toutes sortes de femmes de mauvaise vie qui se donnent à lui. Il y a du bruit, des respirations étranges, des cris.

Démétrius reste seul toute la soirée, et ce n'est pas la belle vue sur le fleuve devant la maison qui peut le consoler. Pierre Fortin ne l'aimera jamais, même qu'il croit que personne ne l'aimera jamais. Toute sa vie de garçon méprisé remonte en lui et il en souffre amèrement. Il se sent abandonné par son père adoptif qui est mort, par sa mère qui ne l'aime plus, par Raoul qui n'est jamais revenu le voir et surtout par Pierre Fortin qui ne s'intéresse pas à lui comme il l'aurait souhaité.

Un soir, par dépit, il écrit une longue lettre dans laquelle il décrit avec précision les circonstances du meurtre d'Eudore Boutin. Il y accuse Raoul et innocente Angelo. Sa lettre rédigée, Démétrius la place dans une enveloppe et la cachète sans tarder. Il ne veut plus mentir. Il voit sa vie telle qu'elle est : celle d'un garçon qui sera toujours différent et toujours rejeté. Dès lors, une seule solution lui vient en tête et il n'hésitera pas à y recourir, s'il parvient à garder son courage et à agir promptement.

L'avocat Morin n'entend pas multiplier les témoins. Il veut que le procès soit court, afin que le jury conserve sa mauvaise impression face à Angelo. Tout ce qui traîne se salit, déjà que la remarque de cet idiot de témoin a semé le doute. Mais si peu. De plus, ce pauvre avocat de la défense ne dispose pas vraiment de témoins solides, si ce n'est cette malheureuse Thérèse Boutin qui n'était pas sur place lors des événements. C'est d'ailleurs elle qui témoigne aujourd'hui. Elle doit reconnaître devant la cour qu'elle ne sait rien du meurtre, qu'elle n'était pas sur place et pourtant, alors que le juge s'apprête à indiquer la fin de son intervention, Thérèse Boutin demande à être entendue à nouveau :

— Vous savez, je suis une mère, et puis Démétrius est mon fils. Je l'aime comme il est, je ferai tout pour qu'il soit heureux malgré tous les drames qu'il a vécus depuis son enfance. Il n'est responsable de rien. C'est notre faute à Eudore et à moi aussi. Mais je veux dire que mon fils m'a parlé et qu'il m'a confirmé que le meurtrier est Raoul Girard et non Angelo. J'ai pu lui faire dire la vérité, monsieur le juge…

Un grand murmure monte de la salle. L'avocat Morin demande immédiatement de reprendre l'interrogatoire de Thérèse. Il se fait cinglant :

— N'est-il pas vrai que votre fils ne vit pas avec vous présentement, madame Boutin, et que vous préférez héberger chez vous une dénommée Clara Gauthier qui fut la maîtresse d'Angelo Di Camillo ?

– Oui, c'est vrai…

– Madame Boutin, pouvez-vous expliquer pourquoi votre fils est moins important à vos yeux que cette Clara Gauthier, reconnue comme une femme de mauvaise vie dans la paroisse de Saint-Irénée ?

– J'aime mon fils, je vous le dis…

– Je pense plutôt que vous l'avez abandonné devant la justice, sans soutien, que vous êtes une mauvaise mère, voilà ce que vous êtes, une mauvaise mère…

Le juge demande à l'avocat Morin de tempérer ses propos. De toute façon, il a terminé son interrogatoire qui a fait grande impression sur la foule présente. Thérèse a beau pleurer à la barre des témoins, un murmure de désapprobation s'élève contre elle. Plusieurs chuchotent que c'est Eudore qui prenait soin de Démétrius, que Thérèse ne s'est jamais occupée de lui. L'avocat Danais ne pose aucune question à Thérèse, ce qui fait que son témoignage paraît désormais discrédité. Elle retourne dans la salle auprès de Clara Gauthier, celle qui a amené le scandale dans la paroisse de Saint-Irénée il y a plusieurs années. Et avec cet Italien, cet Angelo. Pour plusieurs, Thérèse préfère donc cette Clara à son propre fils qui, d'ailleurs, n'est pas présent aujourd'hui à la cour. Le charretier chargé d'aller le chercher chez Pierre Fortin ne l'y a pas trouvé, ce matin. Sans doute a-t-il préféré aller travailler à la gare toute la journée.

La journée d'audience aurait pu se terminer sur cette note dramatique, mais l'avocat Danais demande au juge de produire un témoin imprévu. Ce n'est pas tellement que l'avocat de la défense y tient car il ne connaît aucunement cet homme venu lui demander de témoigner en toute urgence. Le juge demande le nom du témoin : il s'agit de Georges Hovington, un hôtelier de La Malbaie. L'avocat Morin s'oppose à ce témoignage qu'il considère sans intérêt alors que maître Danais ne sait pas trop quoi dire pour justifier la présence de Georges Hovington dans le cadre de ce procès. Le juge décide donc de trancher lui-même :

– Je trouve qu'il y a peu de témoins dans ce procès, vous ne semblez pas chercher grand preuve, ni l'un ni l'autre, alors cet homme a peut-être quelque chose à nous dire, qui sait...

Georges Hovington prête serment. C'est un homme respecté dans la région car, même tenancier d'un hôtel plutôt mal famé, il est perçu comme un homme honnête et droit. C'est l'avocat Danais qui l'interroge en premier :

– Qu'avez-vous à nous dire, monsieur Hovington ?

– Comme vous savez, je suis propriétaire d'un hôtel à La Malbaie, j'y reçois beaucoup de clients et notamment un certain Raoul Girard que tout le monde connaît par ici, je crois... Il est venu bien des fois dans mon hôtel au cours de la dernière année. À chaque fois, il finit ivre mort et alors il délire...

Maître Morin émet une objection :

– Je pense que les propos de monsieur Hovington ne concernent visiblement pas notre cause, monsieur le juge...

L'objection est rejetée. Le juge souhaite entendre la suite du témoignage.

– Alors... il délire... et dans les derniers mois, Raoul Girard a souvent répété qu'il était le meurtrier d'Eudore Boutin, que c'est lui qui l'avait tué et non Angelo...

L'avocat de la Couronne émet une nouvelle objection, argumentant que les affirmations de l'hôtelier paraissent sans aucun fondement. Le juge remercie le témoin Georges Hovington et convient que ces propos doivent être confirmés par d'autres témoins. Georges Hovington a indiqué à l'avocat Danais que de nombreux clients de son hôtel ont entendu Raoul affirmer qu'il était l'auteur du meurtre. Le juge ne souhaite pas entendre ces nombreuses personnes, mais demande que

Raoul Girard soit invité par sommation à témoigner devant le tribunal. Ce ne sera pas chose facile, indique maître Morin, puisque Raoul Girard est introuvable dans la région depuis plusieurs semaines déjà. Le juge veut pourtant entendre son témoignage. La foule connaît bien Raoul Girard et les membres du jury aussi. Personne ne serait étonné que Raoul soit impliqué dans ce meurtre. L'audience se termine alors que certains commencent à penser qu'Angelo est peut-être innocent, finalement.

⁓

Démétrius ne s'est jamais rendu à la gare. Il s'est plutôt dirigé vers le presbytère, vers l'église. Là où son père adoptif a commis tellement de crimes. Démétrius pense rarement à son vrai père, un maudit Italien qu'Eudore lui a appris à détester mais parfois, il se prend à penser qu'il aurait aimé le rencontrer, le connaître, sachant bien que c'est impossible. Tout en montant la côte du village, Démétrius se répète sans cesse :

— Je suis un rejeté, personne ne m'aimera jamais… un rejeté…

Arrivé au presbytère, il prend sa lettre soigneusement cachetée et la dépose sous la porte.

Il n'aime pas le curé Perron, mais c'est lui qui a protégé Eudore tant qu'il a pu, pas Thérèse qui ne l'a jamais aimé et qui n'a pas de cœur. Démétrius s'efforce d'attiser sa haine envers sa mère. Il reconnaît qu'elle a fait ce qu'elle a pu dans sa pauvre vie, mais c'est une personne faible, une mauvaise femme qui n'aurait jamais dû le concevoir, lui, le malheureux fils rejeté, dans le péché et dans une cabane de pêcheur, avec un Italien sale en plus. Cela, il ne peut pas lui pardonner. Car c'est elle qui l'a affligé de cette condition de rejeté.

Démétrius entre dans l'église paroissiale dont la porte n'est jamais verrouillée. Il a dans la poche de son pantalon un câble solide pris à la gare. Il décide de l'attacher à une poutre de l'église, en plein dans le chœur devant les saintes espèces du Christ. Celui-là non plus, Démétrius ne l'aime pas. Ne veut rien savoir de Lui. Pour Lui aussi, il est un rejeté, sans doute. Pour Démétrius, le Christ est un mensonge, n'a jamais existé. Il s'assure que le nœud ne lâche pas. Ce n'est pas que son corps soit bien lourd, il a tellement maigri au cours des dernières semaines, mais il ne veut pas rater son coup. Le câble a bien tenu : Démétrius est maintenant suspendu dans le chœur de l'église de Saint-Irénée, mort pendu.

Le curé Perron, alerté par la lettre qu'il a lue rapidement, se rend à l'église et y découvre Démétrius pendu, vision qui le touche en plein cœur. Cette paroisse est-elle donc bel et bien damnée? Puis, il se reprend vite. Il fera classer le tout discrètement par le sergent Brisson. Les paroissiens ne doivent pas savoir que Démétrius s'est pendu dans l'église.

Le curé referme le temple à clef et va demander au sergent Brisson de ne pas venir à bord de son auto de police même s'il y a peu de gens autour de l'église. Et même personne. Peut-être existe-t-il une possibilité de dissimuler le tout. Quant à la lettre, le curé Perron la jette dans son poêle à bois et la fait brûler. Cette triste histoire ne doit maintenant être connue que de Dieu et que de lui, le curé Perron, le représentant désigné de la Sainte Église catholique dans la paroisse.

21

Finalement, le journaliste Alcide Maltais a peu suivi le procès d'Angelo Di Camillo. L'affaire lui apparaissant de peu d'intérêt, il est demeuré à Saint-Irénée plutôt que d'assister au procès. Il saura bien retracer toutes les informations relatives à cette affaire quand viendra le temps de produire un article. En fait, ce qui retient le journaliste à Saint-Irénée est d'un tout autre ordre. Depuis toujours, il se fascine pour les cas de possessions diaboliques. Il en a déjà documenté plusieurs à travers le Québec. Il a entendu parler de Gabrielle Tremblay par un paroissien de Saint-Irénée rencontré par hasard à Montréal et depuis, il veut parler à cette jeune fille, surtout qu'il a su qu'elle était capable de déplacer des objets et même de communiquer avec des esprits. Ces faits méritent d'être documentés, se convainc le journaliste Maltais.

Depuis trois jours qu'il se rend au village chez Ernest le Lièvre et qu'il essuie le même refus : le commerçant ne veut pas que cet étranger parle à Gabrielle. Alcide Maltais est persistant; il va retourner chez Ernest le Lièvre ce matin encore. Il s'y rend à pied, escaladant la côte abrupte qui conduit au village. Un lieu bien étrange, se dit le journaliste, si chaotique, si montueux, et peut-être est-ce là son charme et ce qui retient l'attention lorsque l'on y passe quelques jours comme il vient de le faire. Mais les gens y sont étranges, mystérieux, peu ouverts. Comme cet Ernest le Lièvre qui ne change pas d'avis cette fois encore :

— Vous avez l'air d'un monsieur sérieux. Votre journal, je ne le connais pas, je ne l'ai jamais lu. Je ne sais rien sur vous. La petite est fragile, faut pas la déranger. Je vous demanderais de partir et cette fois de ne plus revenir. Je n'ai rien contre vous, je ne voudrais pas insister davantage, si vous me comprenez bien.

Bien à contre cœur, Alcide Maltais s'apprête à partir lorsque Gabrielle l'interpelle :

— Moi, monsieur, je veux bien vous parler.

Ernest le Lièvre demande à Gabrielle de se retirer. Il se prépare à lui prendre le bras mais soudain le visage de la jeune fille se rembrunit. L'épouse d'Ernest le Lièvre, présente sur place, s'en rend bien compte et intervient :

— Ernest, fais attention, on ne sait jamais, tu vois ce que je veux dire...

Elle craint des manifestations diaboliques. D'ailleurs, elle pense que cet homme est peut-être lui-même un envoyé du diable et que l'enfer pourrait se déclencher dans le magasin :

– Laisse-les parler, Ernest...

Gabrielle et le journaliste vont ensemble dans l'arrière-boutique du magasin. Et s'entendent tout de suite très bien. Même que Gabrielle est radieuse. Elle est certaine que cet homme est venu pour la délivrer, pour la sortir enfin de ce maudit village de Saint-Irénée. Gabrielle est enfin heureuse. Elle sait que les mauvais jours sont derrière elle.

Le procès d'Angelo Di Camillo se poursuit. La salle d'audience du Palais de justice est moins bondée ce matin. Pourtant, le procès ne manque pas de rebondissements. Le juge Rochette appelle le prochain témoin à la barre, soit Démétrius Boutin. L'avocat Morin n'a d'autre choix que d'informer le juge de la terrible nouvelle qu'il vient d'apprendre :

– Démétrius Boutin est mort, monsieur le juge, il ne pourra plus venir témoigner.

Le juge Rochette demeure perplexe. Il croit d'abord à une erreur, à une confusion, puis il doit se rendre à l'évidence, le jeune homme d'à peine quinze ans est mort, et un policier vient le lui confirmer. Dès lors, voyant qu'il n'y a plus d'autres témoins sur la liste, il décide de suspendre le procès et de revenir en après-midi pour donner son avis sur la suite des choses. Devant lui, la salle d'audience s'est presque vidée. Ni Thérèse ni Clara ne sont présentes. Angelo, d'ailleurs, en est fort étonné. Il a pensé que ses amies l'avaient abandonné. Mais Thérèse, accompagnée de Clara, s'est rendue à l'église de Saint-Irénée pour identifier le corps de Démétrius. Et la terrible rumeur se fait maintenant entendre dans toute la région : il y a un pendu dans l'église de Saint-Irénée et c'est Démétrius Boutin...

≈

Le curé Perron est contrarié. En fait, la présence des policiers a été vite détectée dans tout le village. Depuis lors, une foule importante, en provenance de la paroisse et des environs, se masse autour de l'église. Thérèse qui vient d'identifier son fils, peine à quitter les lieux tant les gens se pressent autour d'elle. Clara leur intime de se tasser :

– Bande d'hypocrites, de curieux, laissez-la passer.

Un pendu dans l'église... un pendu dans l'église... c'est une damnation...

Un homme âgé interpelle Clara :

– Clara ! Clara !

C'est le Père Ti-Boise accouru lui aussi sur les lieux du drame :

– Clara, ma fille, ma fille, que fais-tu ici...

– Je suis maintenant ici pour rester, papa, venez avec nous...

Le Père Ti-Boise accompagne Thérèse et Clara.

– Clara, Clara, pourquoi n'es-tu pas venue voir ton père avant ?

– Voyez-vous, papa, c'est une longue histoire, nous en reparlerons. Il faut d'abord consoler Thérèse dans cette autre terrible épreuve.

– C'est vrai, Clara, la pauvre Thérèse...

Cette dernière respire à peine. Elle n'a plus de larmes pour pleurer. Son fils est décédé. Elle a tout raté. Toute sa vie a été un échec. Elle veut mourir. Clara la rassure :

– Tu vas vivre, je suis avec toi. Nous vivrons ensemble, tu ne vas pas mourir, Thérèse.

À la maison, Thérèse parvient à s'étendre sur son lit et s'assoupit doucement. Elle paraît dormir, comme écrasée, si meurtrie que son corps ne bouge plus.

Le Père Ti-Boise est là. Il regarde sa fille, sa Clara. Il se dirige vers elle et la prend dans ses bras :

— Ma belle Clara, ma pauvre fille, je t'aime, j'ai eu si peur pour toi…

Clara doit pourtant se rendre au Palais de justice sans tarder. Elle a demandé à son père de rester avec Thérèse et le Père Ti-Boise a accepté. Le juge a ordonné la réouverture du procès à deux heures cet après-midi. Il se fait tard, Clara presse le charretier d'aller plus vite :

— Ma petite dame, le cheval peut pas aller plus vite que cela, je ne vais certainement pas le fouetter plus…

Clara arrive au Palais de justice au moment où l'audience reprend. Le juge Rochette constate que l'assistance est plus nombreuse que ce matin. Il prend la parole :

— Dans les circonstances, je ne puis que confirmer que l'actuel procès se termine sur un non-lieu. Je dois constater qu'il n'y a plus aucun témoin pour étayer l'accusation de meurtre contre le dit Angelo Di Camillo. Il reste seulement des témoignages épars de personnes n'ayant rien vu, ne pouvant rien prouver d'une manière formelle.

La présence sur les lieux d'Angelo Di Camillo n'est pas en soi une preuve de sa culpabilité. Même que le contexte sert plutôt à l'innocenter notamment du fait qu'il n'a pas voulu quitter les lieux du crime. Le témoin principal de l'accusation, Démétrius Boutin, n'étant plus là pour témoigner contre Angelo Di Camillo, il n'est pas possible d'éventuellement incriminer ce dernier de meurtre, à moins que d'autres témoins se présentent, mais ni la Couronne ni la défense ne semble en mesure d'en produire de nouveaux dans la situation actuelle. Je me dois donc de dissoudre le jury de ce procès et de libérer Angelo Di Camillo de toute charge de meurtre puisque plus aucun témoignage n'est actuellement disponible pour maintenir une accusation contre lui. Le procès est donc clos.

L'avocat Morin prétend qu'il va interjeter appel et veut protester. Le juge Rochette ne l'écoute pas. Angelo est libre, à la grande surprise de son avocat maître Pierre Danais qui n'en revient pas. Clara se précipite vers Angelo qui l'étreint avec force. Tout l'amour retenu depuis toutes ces années remonte en eux et Angelo embrasse Clara avec passion. Les deux amants terribles sont à nouveau réunis à la face de toute la région, et Angelo est libre. Ils quittent le Palais de justice pour se rendre à l'hôtel Murray Bay où, dans une petite chambre louée à la hâte, ils vivent à nouveau leur passion. Et le feu est encore là, le diable, le démon, rien n'a changé, Clara et Angelo se retrouvent après tant d'années et plus rien ne pourra les séparer.

La route de Sable. Curieux endroit. Lieu maudit, en quelque sorte. Oui, lieu maudit pour l'avocat Raymond Morin qui a failli se retrouver dans de sales draps à cause de Raoul Girard, ce braconnier, ce criminel. L'avocat sait bien qu'il a été trop tolérant avec ce maudit Raoul. On ne l'y reprendra plus à couvrir le braconnage et à servir les intérêts d'aubergistes malhonnêtes. En plus, il n'est pas devenu député libéral du comté de Charlevoix au fédéral. Pierre Casgrain a été réélu et ne songe aucunement à se retirer. Pour cette raison, l'avocat Morin a rompu avec le Parti libéral et est devenu un bleu. Il appuie désormais les conservateurs de Maurice Duplessis, le nouveau chef de l'opposition à Québec. Un jour, il en est convaincu, Raymond Morin sera candidat et deviendra député. Ce n'est qu'une question de temps.

Raoul Girard est maintenant loin de la région de Charlevoix et il n'y reviendra pas. Il se terre à Montréal, dans le monde interlope, où aucun pouvoir policier n'ira l'appréhender. Il est bien protégé, le Raoul. Il a même des amis en politique.

Il ne sera pas inquiété. Raymond Morin va y voir, sachant bien que si Raoul est un jour poursuivi devant les tribunaux, lui-même sera compromis. Mais cela n'arrivera pas, se dit l'avocat Morin. Et s'il y avait nécessité, il chargera quelqu'un d'éliminer Raoul Girard. Il peut donc l'oublier. Pour de bon.

Reste la pauvre fille à qui Raoul a fait quatre fils et qui réside encore dans la route de Sable. Ces pauvres fils, Raoul les a frappés si durement avec des bâtons, avec un fouet, que ces derniers lui vouent une rancune éternelle. Heureusement, les dames charitables de la paroisse vont porter de la nourriture à ces pauvres enfants et à cette fille abandonnée. Encore là, l'avocat Raymond Morin s'en tire plutôt bien, finalement. Pourvu que ses affaires l'éloignent désormais de la route de Sable. De la maudite route de Sable!

22

Après 1932, il y en a eu du changement, à Saint-Irénée, au grand déplaisir du Père Ti-Boise et de l'abbé Perron. Même si la Crise économique qui sévissait durement en ville n'inquiétait personne ici. Tout le monde voulait du renouveau, espérait que les choses changeraient enfin. Et tout a changé. Thérèse Boutin est redevenue pour toujours Thérèse Imbeault. Elle ne veut plus entendre parler du passé ni même de son malheureux fils Démétrius. Voir autre chose, créer de belles photos, les vendre, vivre avec Clara et Angelo, voilà tout ce qui compte maintenant pour elle. Oublier, c'est la seule manière de survivre, pense-t-elle.

Clara et Angelo ont été des amants passionnés un certain temps. Puis, non pas que le feu se soit éteint, mais les choses n'étaient plus pareilles. Les amoureux fous d'hier ont maintenant vieilli et Angelo n'est plus tout à fait le même. Il est souvent triste et parle à Clara de son désir de se venger de Raoul, d'aller le trouver à Montréal pour lui régler son compte. Non sans difficultés, Clara apaise Angelo, lui fait comprendre que Montréal, ce n'est plus pour eux, qu'ils vont demeurer pour toujours à Saint-Irénée. Angelo ne dit pas non, il aime cultiver la terre et peut se montrer un travailleur acharné quand il le veut.

Surtout que maintenant, il peut cultiver une plus grande terre. En effet, Thérèse a pu vendre la maison d'Eudore au ministère de la Voirie qui l'a démolie pour élargir la route. Comme il y a de plus en plus d'autos et de camions qui passent, il fallait faire quelque chose avant que des accidents graves ne se produisent dans ce détour particulièrement dangereux. Thérèse a reçu une bonne somme d'argent pour sa maison. Avec Clara et Angelo, elle a par la suite déniché une vieille maison le long du fleuve, près de la voie ferrée, dans le secteur du Ruisseau Jureux, lieu qui est ainsi nommé parce que le bruit de l'eau y fait un étonnant tapage que des passants ont apparenté à des jurons. C'est pourquoi on dit que c'est le «ruisseau qui jure» ou le Ruisseau Jureux. Le site est tellement beau. La maison avait grand besoin de réparations mais Angelo, fort habile et avec l'aide de Clara, a pu rénover la résidence devenue maintenant habitable. Thérèse y a aménagé un studio de photos et une chambre au premier étage ; Clara et Angelo dorment en haut. La maison est grande, avec sa belle cuisine d'été attenante, comptant huit pièces au total. Durant l'été, Thérèse a décidé de louer des chambres à des visiteurs. Le lieu devient une maison de pension. Le nom de ce nouveau lieu d'accueil est tout simple : *Au Ruisseau Jureux*. C'est la maison du bonheur, pense Thérèse. Du bonheur, enfin du bonheur, pour elle, pour Clara et Angelo, et ce n'est pas trop tôt.

Dans la famille du Père Ti-Boise, le malheur vient encore de frapper. Blanche ne va pas bien. Elle paraît sérieusement malade et, de surcroît, elle est à nouveau enceinte. Au cours des dix dernières années, elle a mis au monde six enfants : Irène, Léo, Hélène, Anita, Gilberte et Raymond. Elle n'en peut plus. Elle est fatiguée et elle tousse sans arrêt. Cette nouvelle grossesse, Blanche ne croit pas pouvoir la supporter. Elle se sent trop faible. Euclide s'absente toujours autant, même durant la période d'hiver, que ce soit pour exécuter des travaux à l'intérieur des maisons ou encore pour fabriquer des meubles qu'il mettra en vente. Il se retire souvent dans sa boutique. Bien sûr, Euclide n'est pas à la maison le jour où Irène, à peine âgée de onze ans, est partie pour l'école avec les cheveux mouillés.

Une idée d'enfant, elle voulait laver ses beaux cheveux longs et frisés. Blanche n'a rien vu et Irène est déjà partie avant qu'elle ne s'aperçoive que la petite risque gros, en ce froid matin de décembre. En plus que l'école de rang de la Côte des Bouleaux n'est pas bien chauffée, il faut bien le dire. Sur l'heure du midi, Irène est prise de violents maux de tête. L'institutrice lui accorde la permission de retourner chez elle. Irène est une enfant studieuse, tranquille. Un caractère enjoué et paisible. Elle ne manque pas d'aider sa mère dans les tâches ménagères, ce qui est toujours apprécié.

Blanche ne s'en préoccupe pas trop quand elle voit Irène se précipiter dans son lit. C'est que Blanche a tant à faire, ce jour-là. Le soir, Irène hurle dans son lit. Toute la famille est énervée. C'est le Père Ti-Boise qui doit se rendre à La Malbaie y chercher le docteur Angers. Un autre malheur dans la famille Gauthier, se dit le vieil homme et le bon Dieu semble encore déchaîné. Dès son arrivée, le docteur Angers ne semble pas très rassuré. Il administre une piqûre à Irène qui paraît quelque peu apaisée. Il demande à parler à Euclide mais ce dernier pensionne encore chez un client à La Malbaie, dans le rang éloigné de la Chute Nairne. Personne n'a pas pu le joindre jusqu'à maintenant. Il travaille en forêt, afin de construire un chalet de chasse pour un club privé dont les membres sont de riches Américains. Le docteur Angers se décide donc à parler au Père Ti-Boise :

– La situation n'est pas simple. La petite a la méningite. Je ne peux pas faire grand-chose sinon atténuer sa douleur un peu. Je crois bien qu'elle va mourir…

– Ne dites pas cela, monsieur le docteur, non, non…

– Je n'y peux rien, malheureusement, elle a pris du froid, peut-être que si j'avais pu intervenir plus tôt ce matin…

Le médecin veut encore dire quelque chose au Père Ti-Boise :

– Il faut que je vous parle de Blanche aussi, votre belle-fille. J'ai voulu lui donner des remèdes ce printemps, mais elle n'a pas voulu. Il faut toutefois agir sans tarder, car elle est atteinte de tuberculose. C'est grave pour elle, pour les enfants aussi. Elle transmet des microbes. Et puis, pourquoi est-elle encore enceinte ? Durant sa grossesse, elle va peut-être aller un peu mieux… mais je crains pour elle et pour l'enfant lors de l'accouchement. Vous devez lui faire entendre raison. Il faut qu'elle se repose et qu'elle prenne les remèdes que je vais lui donner. Malheureusement, on ne peut pas vraiment guérir la tuberculose, comme vous savez, mais peut-être qu'avec un peu de repos au moins…

Irène est morte dans la soirée. Euclide est arrivé à la maison durant la nuit. Personne ne trouve le sommeil. Toute la famille pleure amèrement. Le curé Perron est venu pour administrer les derniers sacrements à Irène, mais il est arrivé trop tard. Les funérailles sont déjà prévues pour dans deux jours. On convient d'exposer le corps d'Irène sur une table dans le salon. Des voisins et des amis se pressent toute la journée pour offrir leurs condoléances à la famille éprouvée. Blanche doit recevoir tous ces gens, leur offrir à manger, à boire. Même morte, sans que son corps ne soit embaumé et dans toute l'horreur de cette triste exposition, Irène demeure tout de même belle. Il est vrai qu'Hélène a peigné les cheveux de sa sœur avec grand soin.

– C'est un ange qui est parti au ciel, disent les visiteurs.

Un ange ? Euclide rage dans son cœur. Pourquoi ce bon Dieu de malheur vient-il de lui enlever sa fille ? Il s'acharne sans cesse sur lui et sa famille. Pourquoi ? Pourquoi ? Après que tous les visiteurs soient partis, durant la nuit, Euclide construit une modeste tombe en bois pour sa fille défunte. Et aussi une pierre tombale dans le même bois et sur laquelle il écrit en lettres noires :

Irène Gauthier
1922-1933

La petite repose désormais au fond du cimetière de Saint-Irénée. Le fleuve est tout proche, juste en bas. Il a fallu continuer à vivre. Blanche n'a pris aucun des médicaments prescrits par le docteur Angers, et Euclide est retourné construire le camp de chasse, dans la forêt profonde. Le Père Ti-Boise ne manque pas d'être inquiet. La tuberculose, c'est grave. C'est la condamnation de la maison qui nous attend, pense-t-il. Il craint pour les jeunes enfants, oui, s'il fallait en perdre d'autres, à cause de la maladie, à cause de la misère. Mais Blanche ne veut rien savoir, elle continue de travailler, même enceinte, même fatiguée. Elle dit qu'elle va mieux, qu'elle se sent bien. Mais pour combien de temps? Le Père Ti-Boise ne le sait pas et il croit que décidément, le bon Dieu va peut-être encore frapper de sa main violente sur sa pauvre et misérable famille.

La gare de Saint-Irénée paraît bien tranquille en ce matin de printemps 1934. Blanche et Léo vont prendre le train jusqu'à Cap-aux-Oies, un petit rang non loin de Saint-Irénée. C'est là que Blanche est née, fille d'Harry Tremblay. Ce dernier s'est remarié récemment avec une bonne grosse dame du Cap-aux-Oies, généreuse et pleine de vie, qui l'a forcé à cesser de boire. Elle se nomme Gertrude Audet.

Blanche veut revoir la maison paternelle, le lieu où elle est née. Elle y a été heureuse, dans son enfance, il y a longtemps déjà. Ce furent sans doute les plus beaux moments de sa vie, le temps si court de son enfance. Après, jeune fille pas très jolie, les prétendants n'ont pas été nombreux. En plus, à Cap-aux-Oies, les jeunes hommes sont rares, le hameau étant habité par moins d'une cinquantaine de personnes. Blanche a donc attendu longtemps un prétendant. Il n'y a eu qu'Euclide, un veuf qu'elle a épousé sans amour. Par la suite, sa vie n'a plus été qu'une longue suite de travaux quotidiens, de souffrances, de maladies.

Ce matin, pourtant, elle est heureuse. Elle a mis sa plus belle robe et son plus beau chapeau. Bien que près d'accoucher, elle n'a pas pris de poids. Elle est même maigre. Léo, lui, trouve pourtant sa mère bien belle, aujourd'hui, et il est heureux d'aller à Cap-aux-Oies avec elle. Il n'y est jamais allé auparavant et il ne connaît presque pas son grand-père Tremblay.

Pierre Fortin salue les deux passagers. Il travaille maintenant seul, et la compagnie espère que tout restera désormais tranquille à la gare de Saint-Irénée, la publicité autour du meurtre d'Eudore n'ayant pas aidé à la bonne réputation du lieu et les touristes se font rares. Le train arrive en provenance de La Malbaie. Il n'y a pas beaucoup de passagers, ce matin. Souvent même, le train est vide. Rodolphe Forget s'étonnerait sans doute de voir son chemin de fer dans la lune délaissé par les touristes et emprunté presque uniquement par les quelques personnes de la région désirant se rendre à Québec. Les sièges sont pourtant confortables. Les fenêtres paraissent immenses et devant, le fleuve s'offre au regard des passagers. Léo prend le train pour la première fois de sa vie. Il l'a souvent regardé passer non loin de la terre familiale, mais jamais il n'a pensé qu'il pourrait y monter un jour.

Cap-aux-Oies n'est pas loin de Saint-Irénée, quelques milles tout au plus. Toutefois, en calèche, c'est un voyage hasardeux, même en été. Une grande côte isole Cap-aux-Oies de la route passante. Seul un chemin de terre mal entretenu le relie au reste du monde. Et la côte vers Cap-aux-Oies paraît à plusieurs trop impressionnante, presque infranchissable. Par train, cependant, rien d'aussi spectaculaire. Le trajet est tranquille, uniforme, presque monotone. Et pourtant, le paysage est si beau, tout le long du fleuve. Le temps est radieux. Léo a envie de donner un baiser à sa mère. Elle le repousse ...

– Laisse-moi tranquille, tu as toujours été *bicheux*...

Bicheux veut dire que Léo est affectueux. Blanche se laisse tout de même embrasser sur une joue. Soudain, le train traverse un tunnel. Il fait noir dans le wagon. Puis la lumière revient. Léo admire cette construction étonnante qui passe à travers la montagne. Il se dit que les hommes qui ont réussi à percer ce tunnel avaient décidément beaucoup de courage. La gare de Cap-aux-Oies est déjà en vue. Elle est encore plus petite que celle de Saint-Irénée. Blanche et Léo seront les seuls à y descendre. Sur le quai, le chef de gare les accueille. C'est Jude à Rose, Jude Saint-Gelais dont la mère se prénommait Rose. La vieille a vécu jusqu'à tout récemment. Elle a été veuve longtemps, si bien que Blanche ne se souvient même pas de son mari. Jude à Rose a été gâté par sa mère, dont il était le seul fils. C'est un vieux garçon, comme tout le monde dit par ici. Bon et aimable, il remet une petite friandise à Léo. Blanche connaît bien Jude à Rose, il est même son petit cousin. D'ailleurs, à peu près toutes les familles de Cap-aux-Oies sont apparentées et comment pourrait-il en être autrement dans cette petite population refermée sur elle-même ?

La maison d'Harry Tremblay se trouvant près de la gare, Blanche et Léo s'y rendent à pied. Le soleil est bon. Le mois de mai sera beau. La grosse Gertrude les attend sur la galerie. Les lieux sont bien entretenus. Il y a une étable avec un cheval et des vaches, un poulailler bien fourni, des dindons, quelques moutons. Harry Tremblay est précisément en train de tondre les moutons. C'est là une activité que Léo connaît et il sait comment faire. Son grand-père, tout heureux de le voir, le laisse bientôt procéder sur les bêtes qui, à la veille de la saison chaude, seront heureuses de quitter leur lourd manteau de laine dont on fera bon usage pour la confection de vêtements ou de belles couvertures. Blanche se fait rapidement toiser par la grosse Gertrude :

— Tu es blême comme une morte, Blanche, viens t'asseoir. Ma grande foi, tu ne tarderas pas à accoucher.

— C'est pour ça que je vous amène Léo pour quelque temps, j'ai bien de la difficulté à tenir maison, je voudrais qu'il reste ici un peu...

— Bien sûr, nous l'aimons déjà, ton petit bonhomme... Je vais te faire un bon dîner. Cela va te réconforter un peu. Oh, pas grand-chose, de la soupe à l'orge, de la tourtière au lièvre, puis du sucre à la crème pour dessert.

Il est si bon, le sucre à la crème de la grosse Gertrude. Harry Tremblay a d'ailleurs pris du poids depuis qu'il est marié avec elle. Léo déguste le repas avec appétit et s'empiffre de sucre à la crème.

— Ne me fais pas honte, Léo. Tu as pourtant dû manger à la maison, dit Blanche, un peu trop sévère.

— Laisse-le faire, il a rien que la peau sur les os, cet enfant-là...

— Vous allez me le gâter, vous...

À la vérité, Blanche ne peut pas cacher sa misère à son père et à la grosse Gertrude. De plus, elle tousse sans arrêt. La grosse Gertrude n'aime pas cela. Aurait-elle la tuberculose? Elle sait que la première femme d'Euclide Gauthier est morte de la tuberculose, se pourrait-il que Blanche en soit atteinte elle aussi? Blanche a pu faire quelques pas sur la terre familiale en après-midi. Elle s'est couchée par la suite. À cinq heures, Blanche reprend le train vers Saint-Irénée. Elle embrasse Léo et le serre dans ses bras le plus longtemps possible. Elle a été si heureuse de revoir son Cap-aux-Oies natal. Jude à Rose l'aide à monter dans le train. Il a de belles manières, il est gentil, mais Blanche trébuche presque en montant les marches qui conduisent à l'intérieur du train. La grosse Gertrude s'en désole. Elle pousse Léo à l'écart et dit à son époux qui se tient là, à côté d'elle et tout aussi inquiet qu'elle:

— Je me demande, Harry, si on va la revoir vivante...

Harry Tremblay ne dit rien. Le soir tombe. Il fait plus froid. Dans le train, Blanche pense qu'elle ne reverra peut-être jamais Cap-aux-Oies. Son ventre se serre. Elle tousse. Elle tremble. Elle espère que le Père Ti-Boise sera à la gare de

Saint-Irénée pour l'accueillir. Il est là, toujours fiable. Mais pas Euclide, comme à son habitude. Durant la nuit, Blanche a craché du sang, beaucoup de sang, mais elle n'a pas voulu que le Père Ti-Boise se rende à La Malbaie y chercher le docteur Angers.

23

Les choses se sont déroulées rapidement. Dans la nuit, Blanche s'est à nouveau sentie mal. Lorsque le docteur Angers est arrivé avec le Père Ti-Boise, elle avait commencé à avoir ses douleurs. L'enfant est né après d'intenses moments d'inquiétude où il était difficile de savoir s'il survivrait et plus encore si la mère elle-même survivrait. Dans un tel cas, la recommandation de l'Église catholique et du curé Perron est immuable : il fallait choisir de sauver l'enfant plutôt que la mère. Mais les deux ont survécu. Le docteur Angers n'aime pas ces préceptes religieux d'autrefois et il a tout fait pour sauver la mère. Toutefois, Blanche apparaît en piteux état, à la suite de son accouchement.

– Monsieur Ti-Boise, je pense qu'elle devrait aller à l'hôpital à La Malbaie.

– Vous n'y pensez pas, monsieur le docteur, à l'hôpital, ça coûte de l'argent.

– Je sais, mais ce serait mieux. Elle pourrait peut-être aussi aller dans un sanatorium à Québec. Mais pour ça, je pense qu'il est déjà tard. Je vais lui laisser quelques médicaments pour sa toux.

Le petite va se prénommer Jocelyne. Elle est chétive. Elle est rapidement baptisée, car le curé Perron craint qu'elle ne puisse survivre. Pourtant, elle s'accroche à la vie tant qu'elle peut. Sa mère, toutefois, va de mal en pis. Euclide n'est pas revenu de La Malbaie depuis l'accouchement et le Père Ti-Boise doit voir à tout. Il n'a pas réussi à joindre Clara qui demeure maintenant au Ruisseau Jureux, à trop grande distance du rang de Terre-Bonne. Clara et Thérèse ont bien le téléphone depuis peu, mais le père Ti-Boise refuse de faire installer cet appareil moderne qu'il ne veut pas voir entrer dans sa maison. Blanche dépérit. Le Père Ti-Boise demande à son voisin Gilbert Bouchard d'aller chercher Euclide à La Malbaie de toute urgence. Celui-ci accepte sans hésiter. Un matin, Blanche respire à peine. Puis, elle semble ne plus respirer. La petite Hélène lui place des serviettes d'eau froide sur la tête. Elle voudrait tellement sauver sa maman. Il est trop tard, Blanche est morte, le Père Ti-Boise le voit bien. Il est trop tard.

Plus tard dans la journée, le curé Perron arrive à la maison et il reproche au Père Ti-Boise de ne pas l'avoir appelé au chevet de Blanche :

– Elle aurait pu recevoir les derniers sacrements du Seigneur avant de mourir…

– Je ne pensais pas qu'elle allait mourir, monsieur le curé, je croyais que le bon Dieu allait nous épargner, cette fois.

– Le bon Dieu fait ce qu'Il veut, Ambroise. Tu ne peux pas Lui imposer tes désirs. Ce serait un blasphème.

– Mais Monsieur le curé, une pauvre mère de famille comme Blanche, on avait tellement besoin d'elle.

– Encore tes plaintes habituelles, Ambroise, tu dois être fort. Tu dois faire nettoyer la maison, la tuberculose, c'est contagieux. Et de fond en comble.

– Je ne peux pas voir à tout, monsieur le curé, je suis vieux…

– Il faut te ressaisir sinon vous allez tous y passer…

Euclide arrive. La nouvelle de la mort de sa femme paraît le laisser de glace. Il ne pleure pas. Ne dit rien. Blanche est elle aussi exposée au salon, durant trois jours et trois nuits, cette fois. Une bonne partie de la paroisse défile à nouveau. C'est Pétronille Bouchard qui se charge de faire à manger à tout ce monde. Au bout de ces tristes journées d'exposition, le corps de Blanche est réduit à presque rien. En voulant enlacer sa mère,

Léo, qui est revenu de Cap-aux-Oies avec son grand-père, découvre que son dos est si maigre que ses os transparaissent clairement. Il pleure abondamment.

Pauvre femme de misère, disent toutes les personnes qui se rendent sur les lieux. L'église paroissiale n'est pas pleine pourtant et la rumeur s'amplifie à Saint-Irénée : c'est la tuberculose, la tuberculose. Euclide Gauthier a perdu ses deux femmes à cause de la tuberculose… et sa sœur Clara a eu cette maladie aussi… la maison est remplie des microbes de la tuberculose, pense-t-on… Et ce fait incite les habitants de la paroisse à éviter de trop fréquenter la famille Gauthier, à ne plus aller la visiter à la maison de Terre-Bonne.

Euclide se moque de tout cela. Il a fabriqué la tombe de son épouse et aussi sa pierre tombale qui a été placée à côté de celle d'Irène. Et il n'a pas l'intention d'être davantage présent à la maison. Son père est là pour s'occuper de tout, même à soixante-dix ans passés, il en est encore capable. Euclide est un menuisier, pas un cultivateur. Il n'a jamais aimé Blanche, c'est certain. Son amour unique restera toujours la belle Marie-Anne. Celle-là, il ne l'oubliera jamais. Tant pis pour Blanche, tant pis pour les enfants qu'il a eus avec elle. Il ne les aime pas. Il n'aimera plus jamais personne.

Début juillet, la maison de pension *Au Ruisseau Jureux* reçoit sa première cliente. Une cliente mais, en fait, plutôt une amie de Clara, puisqu'il s'agit de Régina Murray avec son fils maintenant âgé de plus d'un an. Le petit se prénomme Joseph, comme son père, dit Régina. L'ancienne employée du curé Perron a bien réussi, elle travaille dans une importante banque de Montréal comme commis. Elle a pris quelques jours de vacances à Saint-Irénée et, même si elle s'est bien adaptée à Montréal, elle apprécie grandement ce retour dans cette paroisse qu'elle a toujours aimée. L'air y est si pur, pas comme à Montréal où c'est parfois étouffant. Mais Montréal, c'est par contre plus discret pour une personne dans sa situation, une fille-mère comme on dit. Régina veut d'ailleurs demeurer dans le rang Ruisseau Jureux, elle ne veut pas se rendre au village. Clara n'est pas d'accord :

— Régina, tu iras au village. Nous irons à la messe ensemble dimanche…

— À la messe, certainement pas, Clara…

— À la messe, oui…

Clara parvient à convaincre Régina de l'accompagner à la messe du dimanche. Thérèse n'est pas d'accord. Angelo non plus. Ils trouvent qu'il y a eu suffisamment de scandales dans la paroisse et que cette histoire doit demeurer secrète. Demeurer secrète! Jamais, foi de Clara! La vérité triomphera. Régina viendra avec elle ce dimanche à la messe du curé Perron.

Depuis la mort de Blanche, la maison de Terre-Bonne croule sous la tristesse. Les enfants semblent perdus, laissés à eux-mêmes. Le Père Ti-Boise tente tant bien que mal de mettre un peu d'ordre dans la maison: il fait à manger comme il peut, aidé par la petite Hélène qui a bien du mérite. Les autres enfants de la famille l'appellent «notre petite mère». Mais elle est si maigre, elle aussi, s'il fallait que la maudite tuberculose frappe encore. Bien sûr, il faut aussi donner le biberon à Jocelyne, cette pauvre enfant qui ne connaîtra jamais sa mère. Euclide, quant à lui, n'est jamais présent ou presque.

Pourtant, il règne tout de même un bon esprit dans la maison. Léo travaille la terre avec son grand-père; Hélène et Anita ont repris le jardin de leur mère. Philippe Gauthier est venu visiter son père la semaine dernière. Ses affaires vont vraiment bien: il vient de s'acheter une belle camionnette pour son commerce *Le Nettoyeur Moderne*. Il peut maintenant faire de la livraison dans les belles villas du Boulevard des Falaises à Pointe-au-Pic. Il a deux enfants : Louise et Francine, et sa femme est encore enceinte. Nicolas, le fils issu du premier mariage d'Euclide, demeure maintenant à La Malbaie avec son oncle et pour de bon. Il veut travailler toute sa vie au *Nettoyeur Moderne*.

Philippe invite son père à monter dans la camionnette. Le Père Ti-Boise s'est pourtant juré de ne jamais prendre place dans ces voitures motorisées. Mais il accepte enfin. Il est étonné par son court voyage dans le village de Saint-Irénée. Tout le monde du village regarde avec envie la belle camionnette de Philippe et le Père Ti-Boise est bien fier de son fils. Il se dit que peut-être, grâce à cet engin mécanique, il pourra aller un jour à Coaticook visiter son fils Napoléon qui vit toujours là-bas. Il en parlera à Philippe sous peu. Le Père Ti-Boise se montre moins rébarbatif : le progrès a quand même du bon. Philippe passe devant le presbytère. Le curé Perron est sur sa galerie et il fronce les sourcils en voyant le Père Ti-Boise dans ce véhicule du démon. Il devra peut-être s'en confesser. Le Père Ti-Boise lui fait tout même un signe de la main.

Qu'importe, il est heureux aujourd'hui et ce n'est pas si souvent que cela arrive. Son fils Arthur lui a écrit récemment, il vient de monter en Abitibi comme colon. La Crise économique sévit durement à Montréal et Arthur ne parvenait plus à trouver du travail. Tant mieux, se dit le Père Ti-Boise, il trouvera peut-être la femme de sa vie et s'établira en Abitibi pour fonder une famille. Qui sait? Ce n'est pas trop tard. Il n'est pas encore trop vieux. Il reste Clara qui inquiète toujours le Père Ti-Boise. Il accepte mal qu'elle vive dans le péché avec son Italien, hors des liens sacrés du mariage. Au moins, elle s'est éloignée du village, au Ruisseau Jureux. Personne ne sait trop ce qu'elle fait dans ce rang avec cette Thérèse, une femme damnée, et avec ce maudit Italien. Le Père Ti-Boise espère seulement qu'elle ne trame pas encore quelques mauvais coups et qu'elle saura se faire oublier du curé Perron sans plus jamais attirer le scandale sur la famille, comme autrefois.

Il va revenir, il va revenir!

Gabrielle Tremblay n'en a jamais douté. Pas un instant. Pas une seconde. Elle sait qu'Alcide Maltais viendra la chercher. Il a quitté le village après le procès et cela fait plus d'un an déjà. Avec lui, Gabrielle s'était sentie comprise comme jamais auparavant et le diable avait comme disparu en elle. Depuis, elle chantonne plus souvent à son travail, elle sourit même aux clients qui ont cependant encore peur d'elle. En fait, ils auront toujours peur d'elle. Ce sont des idiots, sans instruction, sans ambition, sans rien. Alcide Maltais, lui, voit loin. Il reviendra. Il reviendra. Ernest le Lièvre n'en est pas convaincu. Il s'est attaché à Gabrielle et il la considère maintenant comme sa fille. Ce n'est pas comme sa femme qui préférerait que Gabrielle quitte la paroisse et sa maison avec cet étranger, s'il pouvait seulement revenir. Elle aussi, elle pense qu'il ne reviendra pas. Mais il est revenu. Un matin de juillet 1934. Le temps était venteux, il y avait même un peu de pluie. La nouvelle de son arrivée a vite fait le tour du village et tous se répètent entre eux :

– Il est venu la chercher, le diable est revenu pour chercher Gabrielle.

Car aux yeux des villageois, cet étranger est bel et bien un envoyé de Satan. Personne n'en doute, le diable est donc venu pour chercher Gabrielle Tremblay et personne ne va trouver à s'en plaindre dans tout le village de Saint-Irénée.

L'église paroissiale de Saint-Irénée est pleine à craquer en ce beau dimanche de juillet. Rien ne semble différent des autres dimanches. Le curé Perron s'apprête à commencer sa messe. Il fait chaud dans l'église. Clara et Régina entrent à leur tour dans le temple paroissial et s'avancent dans l'allée centrale. Tous les paroissiens reconnaissent Régina qui tient un enfant dans ses bras. S'agit-il de son enfant ou de celui de Clara? Ou d'une autre personne? Clara et Régina veulent s'asseoir dans le banc du Père Ti-Boise mais ce dernier leur fait de gros yeux. Elles prennent finalement place dans le banc des vieilles Clarilda et Marilda, à l'avant de l'église. Ces dernières récitent des prières et n'ont même pas reconnu Clara et Régina. Le curé Perron a bien vu, quant à lui. Il quitte séance tenante le chœur de l'église et se rend dans l'allée auprès de Régina et de Clara. Il leur parle d'abord à voix basse:

— Quittez les lieux, je vous prie, vous venez au nom du diable dans notre Saint Temple...

Il hausse le ton:

— Je vous chasse, pécheresses diaboliques, sortez de ce Saint Lieu.

Clara ne se retient plus et elle crie fort à l'assemblée:

— C'est lui, le diable, c'est le curé Perron, le père du petit Joseph Murray, fils du curé de cette paroisse...

Le curé Perron frémit de tout son être. Il n'aurait jamais cru Clara capable de lui faire un tel affront et encore moins Régina. Celle-ci lui parle cependant avec douceur :

– C'est le petit Joseph, c'est votre fils…

– C'est faux, c'est faux…

Le curé Perron demande aux membres de la garde paroissiale de faire sortir les deux pécheresses, comme il dit. Ce n'est pas l'avis de tous les paroissiens. Plusieurs se doutaient bien de la flamme ardente du curé pour son ancienne ménagère et ils ne sont pas surpris. Le curé Perron veut agripper Clara au cou et il s'avance vers elle avec rage. Trop empressé, il chute après avoir glissé dans l'allée. Il tombe par terre, inconscient. Un long murmure se fait entendre. On vient porter secours au curé. Régina et Clara quittent les lieux. Clara jubile. Régina aurait aimé que le curé regarde au moins son fils et elle en est chagrinée.

– Ne t'en fais pas, Régina, il n'a pas de cœur, laisse-le faire. Ne parle jamais à ton fils de ce père monstrueux. Si un jour il veut savoir, garde le secret, cela vaudra toujours mieux que de se savoir le fils d'un si horrible personnage.

Il n'y a pas eu de messe, ce dimanche-là. Certains ont suggéré que le curé Perron avait feint un malaise pour se tirer d'embarras. Depuis, il va bien. Il a communiqué avec le sergent Brisson pour demander l'arrestation de Clara et de Régina qui, selon lui, ont troublé la paix de l'église paroissiale. Le policier fait une courte enquête et ferme bien vite le dossier. La paroisse semble divisée : certains croient que l'enfant est le fils du prêtre et les autres non. Tous s'entendent toutefois sur un point : le curé Perron doit quitter définitivement la cure de Saint-Irénée. Plus personne n'en veut pour pasteur. L'affaire se retrouve sur le bureau de l'abbé Léon Marcel qui tarde à répondre. Il voit bien qu'il ne pourra pas faire grand-chose pour son ami, cette fois-ci. Clara savoure sa vengeance. Le vieux salaud sera remercié de ses services, condamné à jamais par son Église, par ses pairs. Clara ne sait pas si elle doit en remercier Dieu ou le diable. Elle opte pour le diable. Elle croit que ce dernier est finalement un peu plus conciliant pour les pécheresses comme elle.

Au matin du 15 juillet 1934, Gabrielle Tremblay a quitté Saint-Irénée par le train avec Alcide Maltais, en direction de Montréal. Gabrielle et Alcide sont maintenant mariés. Ernest le Lièvre a quelque peu protesté, arguant que la petite avait à peine 24 ans et que lui en avait plus de cinquante. Alcide Maltais avait 54 ans, soit 30 ans de plus que Gabrielle. Qu'importe, a dit le curé Perron, cela règlera un problème dans la paroisse et la possédée aura définitivement quitté Saint-Irénée. Le mariage s'est déroulé en secret dans l'église de la paroisse, avec Ernest le Lièvre et son épouse comme seuls témoins. Les parents de Gabrielle n'ont pas été conviés à l'événement, pas plus que ses tantes Clarilda et Marilda. La nuit de noces s'est déroulée à l'Hôtel Saint-Irénée et, dans la plus grande discrétion, le couple a quitté Saint-Irénée dès le lendemain. Gabrielle est si heureuse, les mauvais souvenirs s'en vont enfin, elle ne pensera plus jamais à ce pauvre village de Saint-Irénée.

Tous semblent bien contents que Gabrielle Tremblay ne vive plus à Saint-Irénée. Cette histoire de possession diabolique est un mauvais souvenir qui va s'estomper. D'autres s'inquiètent encore, pourtant, en disant que le diable ne s'est peut-être pas trop éloigné de la paroisse. Une sorte de sentence populaire circule même un peu partout et l'on dit quelquefois un peu péremptoirement mais toujours avec inquiétude:

– La vraie possédée de Saint-Irénée, ce n'était peut-être pas la petite Gabrielle Tremblay, mais bien Clara Gauthier et elle habite encore la paroisse.

Fin du deuxième tome

Suite dans le tome 3 :
Au Ruisseau Jureux. Le cheval de bois.

CET OUVRAGE,
COMPOSÉ EN TIMES NEW ROMAN 13,
A ÉTÉ ACHEVÉ D'IMPRIMER À CAP-SAINT-IGNACE,
SUR LES PRESSES DE MARQUIS IMPRIMEUR,
EN AVRIL DEUX MILLE DOUZE.